終わりなき〈いくさ〉

～沖縄戦を心に刻む

藤原 健 著

終わりなき〈いくさ〉

～沖縄戦を心に刻む

まえがき

4年前、66歳の身で沖縄に転居した。人生の終章にさしかかってからの選択である。私は日本本土の新聞社で記者として働き、関連会社の役員をその年に退任して沖縄の大学院に進む道を選んだ。

それまでの仕事には手を抜くことなく取り組んできたが、ただ、心に残した宿題があった。

私が長く記者生活を過ごしたのは、「毎日新聞」大阪本社編集局の社会部だった。北陸、近畿、四国と、山口県を除く中国の各地方に直接の取材・販売網を持つ。この中に広島があり、大阪には戦前、沖縄からの移住者も多かった。

この二つの名は私にとって単なる地名ではなかった。広島は人類の絶滅戦として、沖縄は相手の顔が見える距離で殺し、殺される地上の殺戮戦として戦争の極限をそれぞれに体験させられた空間である。時間の経過とともに、その直接の体験は「過去」

に押しやられるが、それは忘れていいという意味ではない。戦争に協力した第2次世界大戦の苦い体験からジャーナリズムに携わる記者たちが学び取ったのは、戦争を企図し推進する勢力に与せず、平和を求め続ける姿勢の追求であったはずだ。であればこそ、戦争の体験者、継承者の心を自らの心として現代と次代に書き続ける継承ジャーナリズムが不可欠なのではないか。

私が抱えた「宿題」とは、記者であった私の歴史への向き合い方に対する点検だった。記者は書いて終わり、では職責を真摯に果たしたことにはならない。自らが関与したテーマ、歴史、場所、人への責任は終生、意識しておくべきことであろう。

広島については、大阪本社編集局長時代の2006年、「夏だけの平和報道」を脱して「ヒバクシャ」というタイトルで通年企画をスタートさせた。それは以後、後輩記者が代を継ぎ、現在に至るまで続いている。

沖縄については、どうか。

学生時代から沖縄を訪れ、沖縄戦で住民が被った悲惨な状況を大阪でも関係者から取材を重ねた。

大田昌秀さん（元琉球大学教授、元沖縄県知事、2017年死去）の『醜い日本人―

日本の沖縄意識』を読んだのはそのころである。この本でも紹介されているが、大田さんの授業を受けていた学生が卒業後、自ら命を絶っていたことも知った。彼の姪は通っていた沖縄・中部の小学校への米軍ジェット戦闘機墜落事件に巻きこまれて命を落としていた。こうした事件を生んだ米軍統治に対し、この卒業生は異議中立を続けた。彼が命を賭して訴えようとしたものは何か。

また、なぜ沖縄戦は避けることができなかったのか、沖縄戦と米軍基地の存在はどのように結びついているのか。人びとの悲嘆の奥のこうした本質を解き明かすには、謙虚に分析し、事実に基づいて歴史を想像する力が欠かせない。したり顔でシッタカフーナー（知ったかぶり）するのも、沖縄を旅行し基地などを目撃しながら、他人ごととして無関係を装うシランフーナー（知らんふり）※するのも、沖縄に対する偏見や差別を助長するものでしかないのだ。シッタカフーナーもシランフーナーも沖縄言葉（しまくとぅば）である。日本語では見落とされる「沖縄からの眼差し」を感じる言葉だ。これらを意識した報道は果たして十分であったのか。自らに問い、私は再び沖縄と向き合う。

大学院で資料を読み込み、週末には戦跡を巡り、基地の周辺も歩く。そんな生活を

※知念ウシ『シランフーナー（知らんふり）の暴力』（未来社、2013年）。基地問題の根底に、日本人の見て見ぬふりをする姿勢が横たわっていることを暴き出した政治発言集。

始めて間もなく、「琉球新報」から客員編集委員に迎えられ、コラム執筆の依頼を受けた。全く想定外のことだったが、沖縄の言論状況に少しでもお役に立てることができるのであればと考え、引き受けることにした。その際、平和と自治の旗を掲げ、さらに、憲法に準拠して国民主権、基本的人権の擁護にも確固とした論調を展開する沖縄ジャーナリズムの意味をあらためて確認したうえで、次のような戒めを自身に課した。

戦後の沖縄の新聞が戦前、戦中の戦争協力の反省を込めて日々の紙面づくりを続けている姿を常に意識し、それを支えている理念と「住民の視線」を私も決して放さない。そして、机上の論文ではなく、各地を巡って考えながら、立ち位置を鮮明にして書くことをモットーとした。コラムのタイトル「おきなわ巡考記」の「巡考記」は、その意味を込めた私の造語である。無自覚に「上から目線」や「外から目線」に陥っていないか緊張感をもって点検する。私自身が沖縄で直接取材して感じた住民の心の内に力点を置き、「地についた論」を志した。これが、戒めのひとつ。

二つには、私がいなければ見落とされたかも知れない視点の提示を心掛けた。また、多くの記者が集まる県民大会のような取材でも、登壇者の集まるステージ近くではなく、会場の端で耳を傾ける人の隣に座って話しかけることにした。そこには記者は滅多に来ない。引っ込み思案に見える人の胸の内に触れることができるかも知れない。

三つ目に、沖縄戦の記憶に関連する証言やその背景をコラムの柱にすることにした。私自身が学びを深めるうちにこれまで、通り過ごし、見逃し、聞き逃しが多かったことに気がついた。また、沖縄でも若い層の一部に、沖縄戦や米軍基地の実態に関心が薄いことも気になった。沖縄で暮らすのを機に、沖縄戦を解明し、その歴史と直結している現状の分析に私も当事者として入り込み、読者と共に考える場としてコラムを活用することも、与えられた機会に応えることになる。


本書は、このコラム「おきなわ巡考記」をテーマごとに分類し、そのいくつかを選んで核に据えた。さらにコラムとコラムをつなぎ、補足し、発展させる書き下ろし、文化面の連載、書評も織り込んだ。自省を自虐としか受け止められない歴史修正主義と、これに迎合する一部ジャーナリズムとは対極に立ち、沖縄の「これまで」、「いま」、「これから」を私の目で見て、足で考えた軌跡の一端である。

それぞれに新聞紙面の掲載日を記した。掲載順は本書の流れに沿っており、新聞掲載の順番とは必ずしも一致しない。別々のコラムに同じ人物が登場するケースや記述に重複しているものもある。一部を加筆・修正したが、年齢、肩書き、表記は当時のままとした。

巻末に「沖縄戦後史略年表」を付けた。

読者の自分史や家族の歴史を重ね合わせて年を追っていくと、身近で立体的に歴史をながめることが可能になろう。

年表の出来事には、日本本土でほとんど報じられなかったものもある。なじみが薄いと感じられる名前もあるかもしれない。ただ、沖縄ではその時代を象徴する政治的動き、事件、事故であり、人物であった。多少、煩雑かもしれないが、詳細については読者が自ら調べ、確認していただければ、本書のテーマのひとつである「沖縄を自分ごととして考える」きっかけになるはずである。

芥川賞作家、目取真俊さんは、年表が示すこうした沖縄の姿を「戦争が終った後という意味での『戦後』は本当にあったのか」と論じた※。

沖縄を巡るたびに、私はこの提起を反芻する。沖縄戦での戦闘後も、米軍統治下では有無を言わせぬ土地の強奪と軍用地化が繰り返され、半世紀近く前の日本本土への「復帰」後でも民意を踏みにじる新基地建設が進む。終わりなき〈いくさ〉の影は今

※目取真俊『沖縄「戦後」ゼロ年』（NHK出版、2005年）

も感知できる。「真の戦争終結」を強く念じ、コラムで描いた人びとの思いを胸に、沖縄戦を心に刻む。

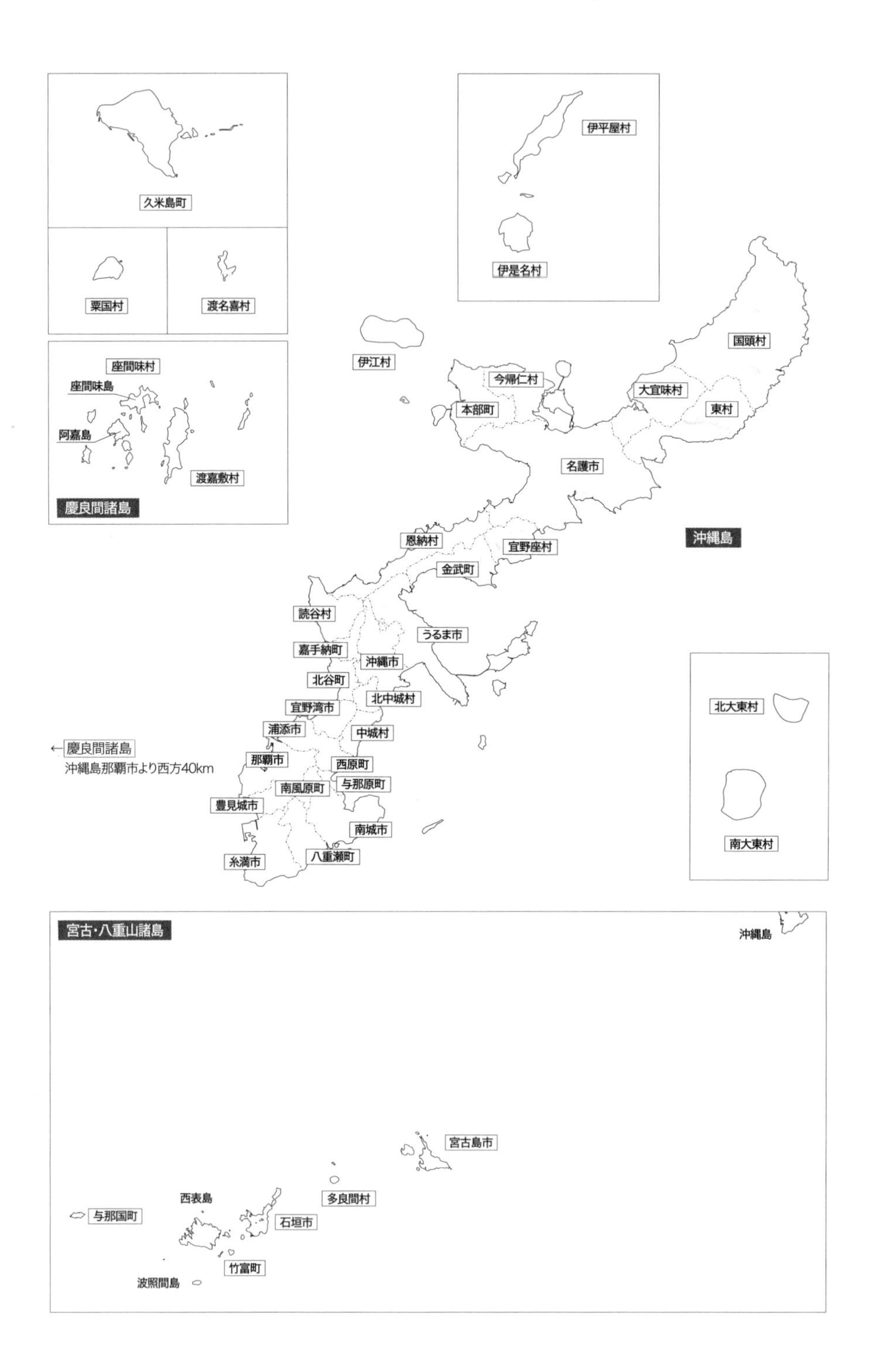

久米島町
粟国村
渡名喜村
座間味村
座間味島
阿嘉島
渡嘉敷村
慶良間諸島
伊平屋村
伊是名村
伊江村
今帰仁村
本部町
国頭村
大宜味村
東村
名護市
沖縄島
恩納村
宜野座村
金武町
読谷村
うるま市
嘉手納町
沖縄市
北谷町
北中城村
宜野湾市
浦添市
中城村
←慶良間諸島
沖縄島那覇市より西方40km
那覇市
西原町
与那原町
南風原町
豊見城市
南城市
糸満市
八重瀬町
北大東村
南大東村
宮古・八重山諸島
沖縄島
宮古島市
多良間村
西表島
与那国町
石垣市
竹富町
波照間島

終わりなき〈いくさ〉

～沖縄戦を心に刻む　＊　目次

II　いま――鮮明にする立ち位置……61

Ⅲ　これから——抗い、つながり、歩く……　103

※写真は筆者撮影

プロローグ

初夏に白い花をつける月桃。沖縄戦の最中にも咲いていた（2017年5月20日）

沖縄に転居してひと月にもならないうちに、事件は起きた。

２０１６年４月28日。午後８時ごろ、うるま市の女性（20）が自宅からウォーキングに出かけたまま行方がわらなくなった。そのスマートフォンの位置情報は自宅から２キロ足らずのところで途絶え、付近の防犯カメラが米軍関係者を意味する「Ｙナンバー」の乗用車の姿をとらえていた。

それから３週間後。事件は最悪の形で急展開する。米軍属の32歳の男が有力容疑者として浮かび、沖縄県警の捜査本部が任意で事情聴取。５月19日、供述通りの場所に変わり果てた姿で遺棄されていた女性の遺体が見つかり、男は逮捕された。

「今、こうやってパソコンに向かっている間も、打つ手の震えを抑えることができない。どうか無事でいてほしいという家族や友人、多くの県民の思いは粉々に砕かれてしまった」

「えたいの知れない重苦しい塊が胸の中に居座り続けている。なぜ繰り返し繰り返し、沖縄は悲しみを強いられるのか。この悔しさはまさしく、持って行き場がない」

前者は「沖縄タイムス」５月20日付、後者は「琉球新報」５月21日付。いずれも社説の書き出しである。冷静に言葉を選ぶはずの「新聞の顔」が、この事件に怒り、憤っている。過重な米軍基地を押しつけられ、基地の存在を背景とする凶悪犯罪が続く沖縄で受忍限度を超えた感情が沸騰した。

私はこの年の4月1日、沖縄の大学院に入学した。沖縄戦の記憶を沖縄の新聞がどのように継承し、それが読者にどのように受け取められているのかを研究テーマとした。加えて「琉球新報」から5月15日付で客員編集委員を委嘱され、コラムを書くことになった。その4日後に女性の遺体が発見され、すぐに現場に足を運んだ。嘉手納基地前での緊急集会にも参加した。いきなり沖縄の現実に直面し、慌ただしい日常が始まった。

遺棄現場となったのは、うっそうとした雑木林だった。すぐ近くに米軍の射撃訓練場を抱えている。このなかで、女性の遺体が3週間も放置されていた。妹が被害女性と同級生という22歳女性は現場に手向けられた慰霊の花束の前で、「明るくて、優しい人でした」と短く話した。静かに黙祷し、冥福を祈る後ろ姿は、震えていた。

訪れる人が絶えない悲しみの現場をそっと離れた。

次に、緊急の抗議集会が開かれた米空軍嘉手納基地の第1ゲート前に立った。

4000人の参加者の端に、沖縄市からやって来た35歳の母親がいた。7カ月の女児を抱き、5歳の長女も連れている。「95年のとき（米海兵隊兵士3人による女児への暴行事件）は中学生で、ただただ、こわかった。何もできなくて。でも、今度だけは、何かしなければ、と。このままの状態だと、子どもたちが被害者になるかも知れないし」。

「あのときの記憶」が今回の事件に反応し、いても立ってもいられなくなったのだ。

米軍兵士は、日米安保条約に伴って結ばれた日米地位協定によって犯罪者であってもその身分は優遇的に扱われ、軍属もそれに準じるとされている。米軍基地内に日本側の捜査権は及ばず、この事件でも、容疑者が女性を入れて運んだ大型スーツケースを嘉手納基地内の焼却場に棄てたとする供述の裏付け捜査ができないままになった。犯罪が起きるたびに沖縄側から地位協定見直しの声が上がる。だが、日本政府はいつも弱腰だ。

怒りの声は、ますます高まった。

遺体発見から1カ月後の6月19日、那覇市内で開かれた県民大会を取材し、記事にまとめた。

「安倍晋三さん、本土に住んでいる皆さん。この事件の第2の加害者は誰ですか。あなたたちです」

19日、那覇市の奥武山陸上競技場。

炎天の午後に開かれた県民大会は米軍属の元海兵隊員によって繰り返された事件に対する憤りと怒り、被害女性への追悼と祈り、事件根絶の誓いと決意が幾重にも層をなし、6万5000人（主催者発表）の渦の中で静かに、しかし、大きくうねっているように見えた。

そのうねりをひときわ高くしたのは、登壇した「シールズ琉球」の玉城愛さん(21)＝名桜大4年＝をはじめとする若い世代の声だったように思う。

喪服に身を包んだ玉城さんは「被害女性と面識のない私が発言することであなたを傷つけないか、そんな思いでここに立っています」と自省の念を込めて語り始めた。そして続ける。

「安倍晋三（首相）さん、本土に住んでいる皆さん。この事件の第2の加害者は誰ですか。あなたたちです」

涙混じりの訴えだが、決して感情が走ったのではないと受け止めた。

事件以後、玉城さんは新聞社主催の座談会、抗議集会などに参加してきた。私がその訴えを直接聞くのは5月25日の嘉手納基地第1ゲート前での緊急集会に続き、今回が2回目だ。嘉手納では「どうしてこんな事態が引き起こされたか、過去に学びたい」と発言していた。今回は、それがなかった。学びが深まったからであろう。

県民大会の日の午前、私は宜野湾市を巡った。沖縄戦が始まって間のない1945年4月に米軍によって開設された収容所跡と関連施設の跡を見た。生き残った住民を一時、集めた場所である。南部での激戦が続く一方で、こうした施設が中北部の米軍平定地区に順次つくられた。戦火から逃れた安堵の場であったはずだ。しかし実は、米兵による女性への強姦などの凶悪事件がこのときから戦闘地以外の場所ですでに発生していたことを歴史は教える。そして、この過去は、今につながる。何も変わっていないのだ。

沖縄は米軍基地の過重負担を強いられ続けている。これが事件の背景であり、要因でもあったことは、最もつらい立場に置かれている被害女性の父親から大会に寄せられたメッセージが雄弁に物語る。「次の被害者を出さないためにも、全基地撤去、辺野古新基地建設に反対を訴えます」「基地のない沖縄」という願いを生み出した歴史の歩みに、真摯に向き合う姿勢を示してこなかった政権。そして、これを沖縄への当事者意識もなく結果的に支えている「あなたたち」。玉城さんの絞り出した言葉は、過去を学び、確認したが故の冷静で的確な指摘だった。

演壇にはさらに4人の若者が続いた。それぞれが考え抜いた言葉を重ねていく。事件で感じた迷い、葛藤を経て獲得した思いが痛いほど伝わってくる。事件をきっかけに「変わらない過去」を見つめて学び、未来を「変えていこう」という強い意思の表明だ。演壇ステージ近くで耳を傾けていた大阪の中学校の男性教諭(45)は「本土に住む者の責任を痛感しました。大阪に帰ったら、若い世代に必ず伝えます」と話した。

私を含む「あなたたち」の覚悟はどうなのか。今後、沖縄の「われわれ」に連なる行動の質を高めることができるのか。県民大会で耳に残った声を、待ったなしの問いかけとして私は胸に刻んだ。

(2016年6月21日付「琉球新報」朝刊)

厳しい現実をいきなり突きつけられて、もう、4年になる。
この間、沖縄大学で沖縄近・現代史と思想史を講じた屋嘉比収さん（2010年死去）の『沖縄戦　米軍占領史を学びなおす　記憶をいかに継承するか』や目取真俊さんの沖縄戦の記憶にかかわる小説集を幾度となく読み返した。月に3回は戦跡を巡った。米軍基地の周辺も歩いた。

そして確認した。沖縄戦、戦後の米軍支配を通じて、沖縄の人たちが抱いたものは、「二度と殺戮の現場に立たない。生まれた土地を戦場にしない。殺し、殺される戦争に断固、反対する」という強い気持ちを込めた平和への決意だ。いやおうなく心に刻んだものは、「軍隊は住民を守らなかった」ことであり、偏見と差別の対象として沖縄を位置づけ続けてきた日本本土への拭いがたい不信感と恐怖感でもあろう。しかし、この苦い体験から得た「民衆知」とも言うべき思念の塊を、政府に代表される「あなたたち」は意味あるものとして受け止めず、無視し続けてきた。植民地への許しがたい所業にも等しい扱いを沖縄に強いてきた。そうした政府を結果的に見逃してきた私（たち）。私は息苦しくなり、ため息が出る。

沖縄戦の直前、大本営の最終的な作戦計画で沖縄は「皇土（日本本土）」から除外されて捨て石とされ、住民は「本土防衛」と「国体護持」のための持久戦に巻きこまれた。戦後の米軍による沖縄の要塞化は、日本本土の「平和」を保障する見返りに他ならなかった。その構図は「本土復帰」後も基本的に変わらない。

沖縄戦から戦後の「いま」に至るまで、沖縄は日本本土を防衛する盾にされ続けている。終わりなき〈いくさ〉の影が沖縄から消えることはない。その主因は、沖縄を「地政学」の観点から語り、「領土」としてしか見ようとしない目だ。約１４５万人が暮らす沖縄の歴史や文化、習俗、風土に対する無知、無視、無関心が招いたものは蔑視である。

県民大会で糾弾された「あなたたち」。

私は沖縄戦とその戦後史の現場を巡りながら、強く意識する。無視せず、関心を持ち続け、忘れないことはひとりの人間としての、そして記者としてのモラルであろう。私を含む「あなたたち」の内側に潜む植民地主義的加害性。これをあぶり出して払拭するにはどうすればいいのか。沖縄の歴史と現実に自分ごととしてかかわり直すことで、自省にもとづいた行動につながっていくのではないか。自覚的に変わろうとしなければ、沖縄との溝は埋まらない。「沖縄問題」は他人ごとではなく、つまり私の問題、「日本問題」なのだ。

Ⅰ　これまで——記憶の断面

渡嘉敷島の「集団自決跡地」（2020年3月15日）

沖縄の地上戦は慶良間諸島への米軍上陸から始まった。日米両軍の戦闘と同時に、住民の「集団自決（強制集団死）」が起きた。沖縄戦は開戦劈頭から、闘うことを義務づけられていない住民が理不尽な死に追い込まれた戦争であったことを銘記しておかなければならない。

その慶良間諸島のひとつ、渡嘉敷島の平和ガイド、米田英明さんはほぼ毎週、島内の「集団自決跡地」に向かう。惨劇の３年後の生まれだが、奇跡的に生き延びた母の体験やさまざまな人の証言を背負い、75年前の島の記憶を自分ごととして語る。

１９４５年3月27日夜――。

当時16歳だった母、光子さんは篠突く雨のなか、びしょ濡れになって家族とともに島の北部、北山（にしやま）を目指した。行く手に立ちふさがる木々を払いのけ、大雨で増水した渓流を上り、現在の「跡地」の碑が建つ地点から下った谷底に到着すると、一帯に数百人の住民が集まっていた。軍命による移動だった。

この日、島に上陸した米軍は翌28日、北山の別の場所に陣を構えた日本軍に集中砲火を浴びせた。住民に疲労感と恐怖感が広がり、絶望感も加わってくる。やがて、「天皇陛下、万歳」と男の声が聞え、ズドーンという鈍い音と女の叫び声も響いてきた。

阿鼻叫喚の地獄絵のなかで、父と兄二人が手りゅう弾で自爆死した。そばにいた光子さんと母親はかろうじて命をとりとめたが、計330人もの住民が無残な死をとげた。座間味島など他の慶良間諸島の島々でも相前後して住民が集団で命を絶った。4月1日以後は、米軍が上陸した沖縄本島や伊江島でも続いた。

沖縄戦を特徴づける集団の死について、「沖縄戦の図」(沖縄県宜野湾市の佐喜眞美術館所蔵)を描いた丸木位里・俊夫妻は縦4メートル、横8・5メートルのこの作品の隅に肉筆でこう記している。

沖縄戦の図
恥かしめを受けぬ前に死ね
手りゅうだんを下さい
鎌で鍬でカミソリでやれ
親は子を夫は妻を
若ものはとしよりを
エメラルドの海は紅に

集団自決とは
手を下さない虐殺である

「手を下さない虐殺」には主語がないが、背景にある天皇制を想起させる。「皇軍＝天皇の軍隊」としての日本軍は、民間人を庇護の対象と見なすことなく、兵士同様に「生きて虜囚の辱めを受けることなかれ」とした。これが住民を狂気に追い込む主因となった。

米田さんは「琉球新報」の渡嘉敷村通信員でもある。平和学習で島を訪れる子どもたちに講話をしながら年間200本近くの記事も書く。島の平和ガイドは自身も含め4人だが、「とかしきマラソン」に毎年参加する体力と、ネットワークの広さからガイドを引き受ける回数は圧倒的に多い。

光子さんは今、記憶があいまいになり、言葉もつながりにくい。足も弱くなった。生き残り、存命する他の人たちも、同じ状況だ。自分にはこの人たちの体験と記憶をつなげなければならない役割がある。美しく語るべき戦闘などない。戦争はいかに住民を苦しめるか。米田さんは訪問者にそう語りかけ、読者に向かってペンも執る。

今春から那覇市内の大学で教壇に立つ宮城千恵さんも遺族のひとりだ。

母方の祖父母は渡嘉敷島の惨劇で亡くなった。島の戦没者を慰霊する「白玉之塔」に二人の名は刻まれている。琉球大学生時代に訪れた塔の碑にその名前を見つけた。何度も何度も指を名前に重ね、沿わせた。「おじいちゃん、おばあちゃん、会いたい」とうめいた。なぞった指の感触を、宮城さんは今も忘れない。その感覚は想像の翼を広げさせ、生まれる13年前の沖縄戦に連れて行く。

祖父は沖縄本島から祖母と共に赴任して学校長、村長などを務めた。光子さんの家に間借りして住んでいた。いくつかの証言をつきあわせても、二人の最期の状況のすべてがわかっているとは言いがたい。宮城さんは自ら作詞した鎮魂歌「命どぅ宝」(作曲、入里叶男さん)で、「なぜ　なぜ　亡くなったの　おじいちゃん　おばあちゃん」と募らせた思いを投げかけ、慰霊の式典で歌い続けてきた。

宮城さんは今年も慰霊のために島に渡った。「平和な　平和な　この島で　起こった悲しい出来事」(鎮魂歌「命どぅ宝」の一節)をあらためて胸に刻んだ。大学の担当は英語だが、折あるごとに沖縄戦についても触れる覚悟だ。

沖縄戦の最大の特徴は、銃火を直接交えた軍と軍との戦闘による戦死者よりも、巻きこまれた住民の戦没者の方が多かったことにある。だからこそ、住民の視点に徹して沖縄戦をとらえることが、歴史への真摯な態度であるに違いない。住民一人ひとりがどのように命を奪われ、生き残った人たちは戦後をどう生きてきたのか。個別の具体的な人生に寄り添うことで歴史の筋がくっきりと見えてくるはずである。

そんな気持ちで、多くの沖縄戦体験者の証言に耳を傾けてきた。人によっては話が途切れ、時系列も一貫しないケースもあるが、懸命に記憶をたぐり寄せる体験者の姿に心のなかで手を合せた。興奮すると、しまくとぅばになってしまう人も少なくなかった。残念ながら私はその言葉が理解できない。しかし、伝えようとしてくれる悲しみや怒りは、口調や眼差し、肩の震えを通して感じることができる。

沖縄では、戦争に決着をつけきれないでいる人に出会うことがしばしばある。戦場のあまりにも理不尽な仕打ちに苛酷な戦後の暮らしも重なって記憶を封印し、語る機会を閉ざしてしまった人は少なくない。死の間際になってやっと口を開いた人の記憶に、言語を絶する史実が潜んでいることもある。

ハルさん（仮名）は、そんな人のひとりだった。彼女の胸の内にやさしく分け入って解きほぐし、生きる意味を見つけるように支えたのは、孫の世代にあたる穏やかな臨床心理学者、吉川麻衣子さんだった。すでに天国に旅立ってしまって私は直接、接することができなかったハルさんの一生。しかし、わがことのように受け止めている吉川さんからの言葉に向き合ったとき、私の胸にハルさんの魂（マブイ）が確かに響いた。

閉じ込めていた記憶語る

ハルさん（仮名）が眠る墓は、沖縄本島中南部の小高い丘の上にある。太平洋に臨み、そのはるか彼方には、ハルさんの父の思い出につながるハワイが浮かんでいるはずだ。

21歳で沖縄戦に巻き込まれ、家族を失ってひとりだけ生き残った。戦闘終結直後は親せき宅を転々として暮らした。60歳まで働いた後、自宅近くの小さな畑からとれる野菜が頼りの自給自足に近い生活だった。独身を通し、近所づきあいもなかった。ラジオの英会話講座を聴くことだけが楽しみのハルさんに光が差したのは、２００２年。現在、沖縄大学准教授として臨床心理学を講じる吉川麻衣子さん（41）と出会ってからだった。その死の４年前のことだ。

吉川さんはそのころ、九州の大学院で「戦争がもたらした人びとへの影響」を研究テーマに古里の沖縄で戦争体験者にアンケート調査し、聴き取りも始めていた。その結果、「沖縄戦でのことを言い残しておきたい」と思っている体験者が多いことを知った。決して話さないだろうと思い込んでいたのに、意外だった。きっかけさえあれば、つらい体験も口にしてくれるのではないか。もう一歩、踏み込んで、その体験を記録に残すことが自分の役割ではないか。

これまでに出会った体験者は５００人以上。７つの地域でグループ分けし、それぞれ10人前後の体験者同士で語り合う「語らう場」をつくった。10年間で計８３７回。音声記録は２９２４時間にのぼる「語らう場」の記録のなかに、ハルさんもいる。

その体験は、凄絶だった。

本島中部で生まれたハルさんは、両親と兄４人、妹２人の長女。父は出稼ぎでハワイに何度も行き、帰ってきては英語をまじえてハワイのことを語ってくれた。やがてハワイは、ハルさんにとっていつかは訪れてみたい憧れの地になった。戦争がこの夢を砕いた。

兄３人は海外で戦死、１人は行方不明。母と妹も、逃げまどった南部で命を落とした。父はスパイ容疑で摘発され、斬殺された。父を慕っていたハルさんにも容疑が及ぶ。身に覚えがないのに、責め立てられた。ハワイは父との楽しい会話の世界でしかないのだ。しかし、調べに容赦はない。命こそ奪われなかったものの、激しい拷問はハルさんの顔に消えることのない傷を残す。左手の薬指と小指も根元から失った。

ハルさんの心

吉川さんとの出会いの当初、「盆と正月もひとりさぁ」とだけ話し、ハルさんはとても寂しそうに見えた。その後、吉川さんが催した地域の「語らう場」に参加するようになっても、しばらくは他の人の話に耳を傾けているだけだった。

吉川さんはためらう人には無理強いをせず、時間をかけて待つ。参加してきても、最初から特に発言を求めない。グループの人たちがどんな話をしているのかに関心を払ってもらいながら、人間関係を徐々につくり、緊張感が溶けてきたところで、体験者が自発的に口を開くのを促す――という方法で、それぞれの語りをグループ内で共有し合った。正確無比な「証言」でなくてもいい。あいまいでも、記憶を語ることで心がほぐれていくことが大切なのだ。

ハルさんがある日、「あんたに最初に話したい」と吉川さんに切り出した。出会って3年が経っていた。楽しかった戦前の家族の話、これが一転した沖縄戦、どうして顔に傷があり、指がないかという理由、人間が信じられないまま生きてきた戦後の人生……。60年もの時間に閉じ込め、抑え込んでいた記憶の塊に向き合ったハルさんの語りに、吉川さんは号泣した。

「語らう場」のメンバーにもその後、断片的に体験を口にし始めた。「ここの人たちは信じられる。もっと早くからお付き合いしておけばよかった」と表情も明るくなった。だが、語りきった翌年の2006年、がんが原因で息を引き取った。最期を看取り、墓を建てたのは、「語らう場」のメンバーと吉川さんだった。

吉川さんは今年6月、「語らう場」の記録を『沖縄戦を生きぬいた人びと』(創元社)としてまとめ、出版した。ハルさんについても言及しているこの本を携え、吉川さんはその墓を訪れた。瞑目すると、ハルさんが体験を口にした日の情景が浮かんだ。風の音に乗せて、その声が響いてくるようだった。「聴いてくれてありがとう、なんでかねえ、何か少し楽になったような気がするさぁ」。戦争を生きぬきながら、あなたのようには語らないままの人はまだ、存命しています。残されたわずかな時間でも語れる場を創り、体験を受け継いで記憶を絶やさないことが私たちの世代の役割です。吉川さんは墓前で、そう言葉を返した。

（２０１７年11月10日付「琉球新報」朝刊）

戦争体験のない吉川麻衣子さんが沖縄戦を意識したのは、小学生時代。恩師、翁長安子さんの影響だった。安子さんは今も「語り部」として自らの戦場体験を次世代に伝えている。私はその証言を何度も聴いたが、記憶はいつも正確で、「戦争を繰り返してはいけない」と繰り返した。

「必ず伝えよ、この戦を」――翁長安子さんの記憶

72年前の夏の夕刻。沖縄本島・石川にあった収容所で、作業を終え米軍のトラックに乗せられて引揚げてきた男たちが新聞社の事務所に向かい、丸めた紙を投げつけた。自らの氏名、住所が書いてある。新聞に消息を掲載してもらい、「無事」を知人に知らせたいのだ。この紙を、事務所前に座っていた少女が集めて事務所に持

ち込む。少女は、こんな方法で家族の安否を確認する日々を重ねた。

7月に収容所で産声をあげたばかりの新聞社は「ウルマ新報」、「うるま新報」と題字を変え、後に「琉球新報」となる。少女は当時15歳の翁長安子さん。第一高女の生徒だったが、同期生の一部や上級生の多くが属したひめゆり学徒隊とは別の沖縄戦を生きぬいた。

2年生だった1945年2月、当時住んでいた真和志村（現・那覇市）は北部の大宜味村へ村民全員で疎開することになった。しかし、「お国の役に立ちたい」とひとり、自宅に残った。3月末、永岡隊と呼ばれた沖縄特設警備隊第223中隊に志願し、炊事や看護要員として従軍した。永岡敬淳隊長は首里に今も続く安国寺の住職で、一中で国語と教練の教師でもあり、謹厳な人格者として通っていた。

特設警備隊は那覇市在住の在郷軍人を中心に編成され、後に北部で編成された防衛隊もその傘下に加わった。いわば「郷土軍」色の強い部隊だった。第一高女で恩師だった糸数用武軍曹（6月初旬、ひめゆり学徒隊を引率していた同僚教師に南部で出会った後、直撃弾を受けて死亡）も召集されてこの部隊にいた。

全軍を指揮する首里城地下の第32軍司令部が南部に撤退した5月27日以後も、隊長率いる部隊指揮班と共に安国寺境内の壕にこもった。しかし、圧倒的な米軍の攻撃に持ちこたえられるはずがない。やがて、壕を脱出。はぐれないように隊長のベルトをつかむ。直後、誤って踏んでしまった死体に足を取られ、約20メートルの崖下に転落した。アカギの枝にバウンドしたのが幸いし、なんとか歩ける。猛烈な砲撃、銃撃をかいくぐって、先発隊がいるはずの南部を目指した。

途中、背中に傷を負い、日本軍からスパイと疑われて殺されかけたりもした。死体に埋もれて身を隠し、何度も泣いた。やっとの思いでたどり着いた壕で隊長らと合流する。隊長は持っていた数珠を安子さんに渡し、こう言った。

「生きなさい。そして、こんな戦があったことを必ず伝えなさい」

部下を多数死なせた自分は生きることはできない。隊長は自決し、これが遺言となった。

言葉を守り、6月22日、米軍に保護された。

生き残っても、「それは惨めでした」という日々がしばらく続く。父母と妹2人の行方はわからない。収容所では孤児として扱われた。大型の布袋を3枚与えられ、2枚を敷き、1枚をかぶってテントの外で寝た。1日おきに収容所からカマスとシャベルを持ち1時間ほど歩いたところに出かけてはイモを掘り、それを配給所で

Cレーション（米軍の野戦食）と交換するのが生きる術のすべてだった。隊長から預かった数珠は米兵に奪われた。体力もなくなり、4日間、収容所内の病院のベッドで意識を失っていたこともある。

いつものように新聞社の事務所前にしゃがむ。通りかかった知人と再会し、そのつてで家族が北部の収容所にいることを知る。外出許可証をもらいその収容所に出向いて母と妹に巡り会えたのは、11月のことだった。父は南部で亡くなっていた。

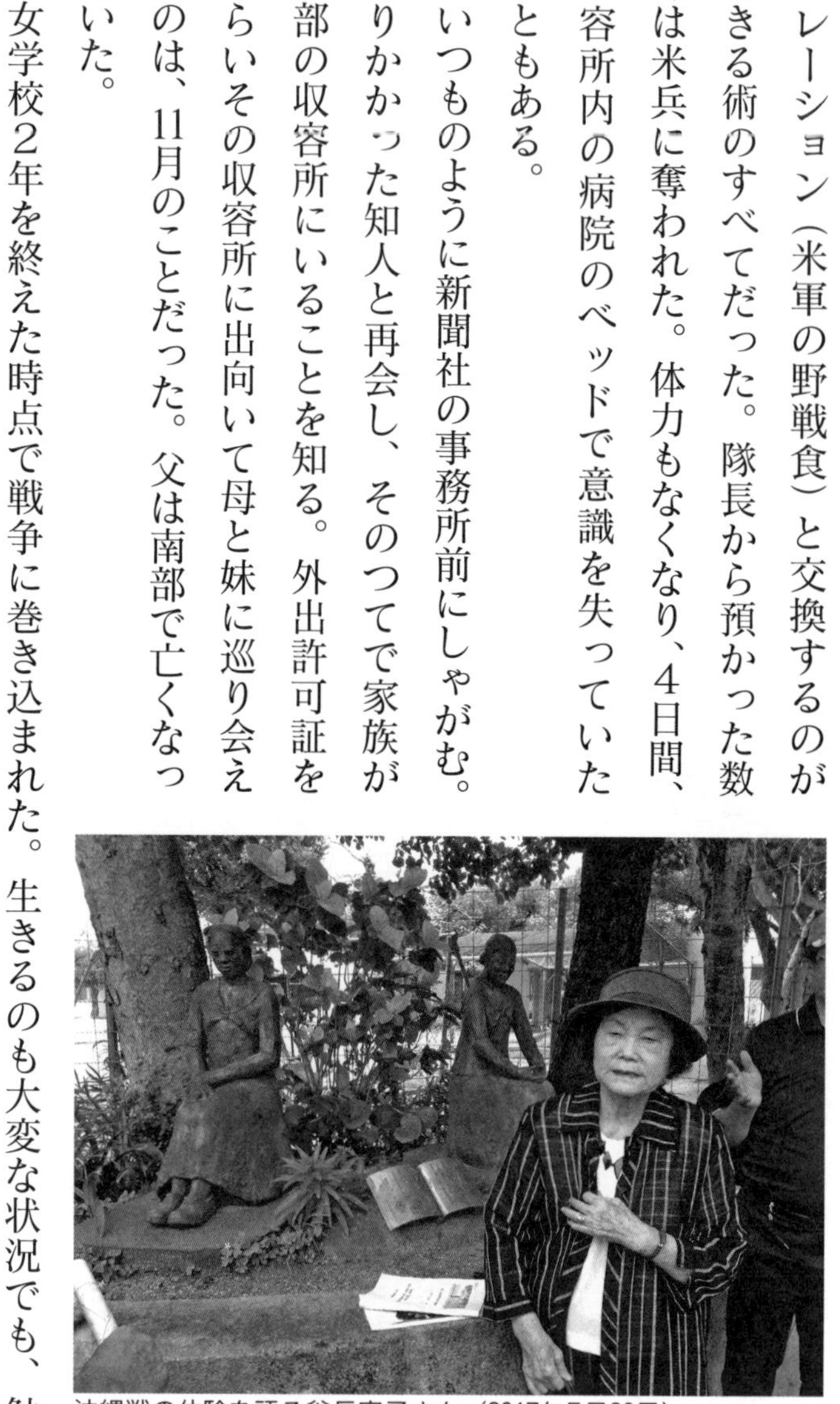
沖縄戦の体験を語る翁長安子さん（2017年5月20日）

女学校2年を終えた時点で戦争に巻き込まれた。生きるのも大変な状況でも、勉強も再開しなければならない。収容所にできた石川高校に入ったものの翌年、収容所の真和志村住民は南部に移動させられ、糸満高校に転校。女生徒が米兵に襲われる事件が発生し、女生徒の登校は禁止、代わりに真和志住民の住む米須に分校が開設された。授業を受け、一帯の遺骨収集作業も手伝った。環境はさらに変わる。この分校も首里高校に併合され、決死の覚悟で脱出した壕から遠くないところにできた寄宿舎に入った。卒業してテント生活の家族のために家を建てようと働いた後、教師の養成所としてつくられた文教学校に進む。

定年まで勤めた小学校では、教え子たちを南部の戦跡まで連れて行き、教室でもこうした体験を語り続けた。戦争に駆り立てた教育、悲惨の極みの戦争を絶対に繰り返してはならない。永岡隊長のことばは、これを伝えよという意味だったと今、感じている。

（2017年5月29日付「琉球新報」朝刊）

ハルさんも安子さんも一時、日本軍にスパイの疑いをかけられた。1872年から79年にかけ明治政府によって強制された併合以後、沖縄の文化、習俗、伝統を劣ったものとした皇民化教育が、その土壌となった。「世界に冠たる日本人」による近代化が沖縄蔑視と、その結果としてのスパイ視を生んだ。それは地下水脈となって、今日の沖縄へのヘイトにもつながっている。

こうした問題意識を共有する著書について次のような書評を書いた。

中城湾の朝焼け。このはるか遠くにハルさんが憧れたハワイがある（2020年1月3日）

「ヘイト」につながる「スパイ」

池間一武著『沖縄の戦世―県民は如何にしてスパイになりしか』〈書評〉

結論を先に言おう。著者はこう書いている。

「スパイはいたのか?」の答えは、無論「いなかった」である。しかし、「スパイ」と難くせをつけられ、数多くの住民虐殺が行われたのが沖縄戦の実相である。

著者は平和ガイドとして住民虐殺の現場を巡り、新聞記者時代に培ったフットワークと取材力で「守備軍」であったはずの「軍隊は住民を守らなかった」ことを浮き彫りにする。日本軍による住民虐殺は当時、沖縄各地で頻発した。渡嘉敷島や久米島では、無条件降伏を告げる「玉音放送」以後に起きている。殺害の理由は「敵への内通」、つまりスパイ行為とされた。軍はその方針である「防諜」を一方的に拡大解釈し、「スパイ」にでっち上げた。

沖縄戦を戦った日本軍、第32軍は創設・配備された1944年春以降、飛行場建設を急ぎ、住民を大動員した。このため住民から軍事機密が漏洩することを極度に警戒した。司令官は着任時に「防諜に厳に注意すべし」と訓示し、米軍が沖縄本島に上陸した直後には「爾今軍人軍属とを問わず標準語以外の使用を禁ず。沖縄語を以て談話しある者は間諜（スパイのこと）とみなし処分す」と全軍に命令した。

標準語の強制。これは、「廃琉置県（＝琉球併合）」（1879年）以後、日本政府が沖縄住民に課した皇民化教育の根幹をなすものだ。沖縄固有の言葉、習俗を遅れたものとする視線は、偏見と差別に満ちていた。１９２２年に沖縄連隊区司令部が沖縄出身者の「兵卒教育に資する」ことを目的にまとめた報告書では、「皇室国体に関する観念徹底しあらず」「優柔不断」など14もの資質を短所として列挙し、「服従心に富む」「従順なり」の２つだけを長所とした。沖縄戦のはるか前から日本軍は沖縄住民を信頼していなかったことになる。こうした目は戦後、払拭されたのであろうか。

「反日」のレッテル貼りなど昨今の沖縄へのヘイトは、偏見と差別に基づいた「スパイ」視を想起させる。こうした妄想、悪意の連鎖を断ち切るためにも、著者が行間に込めた憤りを感じ取らなければなるまい。

（２０１８年3月4日付「琉球新報」朝刊）

翁長安子さんよりも下の世代の多くは、あらかじめ戦場から遠ざけられた。学童疎開である。親元から離れて九州に難を逃れた沖縄の子どもたちは６０００人を超えた。疎開船に仕立てられた貨物船、「対馬丸」は九州に向かう途中、潜水艦攻撃を受けて沈没。乗船していた７７５人の学童が犠牲となった。沖縄戦の戦闘が始まる7カ月前のことである。那覇市の医師、大仲良一さんは「対馬丸」事件の1週間前の船に乗り込んだ。

「生かされた命」の決意――大仲良一さんの記憶

那覇市の沖縄セントラル病院理事長で脳神経外科医の大仲良一さん（81）は毎年、8月になると自らが「生かされた命」であったことの意味を思い起こす。

72年前の1944年8月14日、兼城国民学校3年生だった大仲さんを乗せた学童集団疎開船は那覇港を出発、熊本に疎開した。その一週間後の21日、集団疎開の学童を含む1788人を乗せた陸軍徴用貨物船「対馬丸」が那覇港を出港。長崎に向かう途中の22日夜、トカラ列島の悪石島から北西約11キロの海上で米潜水艦「ボーフィン」の魚雷攻撃を受け、沈没した。乗船者の内1418人（氏名判明分）が犠牲になり、うち学童は775人にのぼった。

「私が『対馬丸』に乗っていたら……。私は生かされた命なのです」

44年7月、「絶対防衛圏」とされたサイパンが陥落、この事態を受けて南西諸島の老幼婦女子を九州と台湾に疎開させることが決まり、その月に一般疎開開始、8月には疎開学童を乗せた船舶が那覇港から九州に向かった。沖縄戦が始まる直前の45年3月までの9カ月間に九州に疎開した沖縄県民は約7万人。うち、学童疎開は宮崎県に3158人、熊本県に2612人、大分県に341人の計6111人。大仲さんはそのひとりとして、戦争を生きた。沖縄本島に残った親戚のうち、沖縄師範学校を卒業したばかりの叔父と従軍看護婦だった叔母は戦火の中で亡くなっていた。6年生の時、すべてが灰燼に帰していた故郷・沖縄に帰った。高校卒業後、父と同じ獣医を目指して東京の大学に入学。ある日、アフリカで住民のための医療活動に生涯を捧げたシュバイツァーの著作を読んだ。これがきっかけで、獣医ではなく人間を相手にする医師へと歩みを変える。そして、シュバイツァーのもとで活動した経験のある日本人医師の話を聞く機会があったことが、その後の医師としての生き方を決定づけた。医療活動の原点は、「治療即奉仕」。

沖縄戦で「生かされた命」は、医学生の時代から西表島での医療ボランティア、慶良間諸島でのフィラリア調査に動く。医師になってからも与論島での離島医療活動も経験する。

舞台が広がったのは88年、国連の専門機関であるＷＨＯ（世界保健機関）の特命を受けてインドで1カ月、ポリオの実態を調査してから。これを機に、インドを含むアジアを中心に32カ国に支部を置き、国際的な医療援助活動を展開している国連認定ＮＰＯのＡＭＤＡ（アムダ、旧称・アジア医師連絡協議会、本部・岡山市）の創設者、菅波茂さん（69）と出会い、大仲さんがＡＭＤＡ沖縄支部の代表を引き受けることで、沖縄からの移民が多い中南米にもＡＭＤＡの医療活動が広がっていく。沖縄セントラル病院には、ペルーに移民した沖縄出身の両親を持ちペルーで生まれた内科医、渡久地宏文さん（68）が在籍する。スペイン語とポルトガル語に堪能な渡久地さんをスタッフにしたＡＭＤＡの中南米でのこれまでの活動国は、地震など自然災害での緊急支援として、ハイチ、グアテマラ、ニカラグア。ペルーでは一昨年まで３年間、継続的にエイズウイルス（ＨＩＶ）撲滅にむけた保健教育支援を続けた。

ＡＭＤＡは、「救える命があれば、どこへでも飛んでいく」のがモットーだ。こうした活動に対し、沖縄県は２００４年、「沖縄平和賞」にＡＭＤＡを選ぶ。「平和共存の社会を実現するには、民族や宗教の違いを越え、相互理解に努める」ことを医療面で実践してきたことを評価したからだった。大仲さんの、若き日の医学への志もこの評価に重なっている。

地球規模の視野を持ち合わせる大仲さんだが、那覇市から委嘱を受けた「協働大使」として地域に密着した医療への目配りもおろそかにしていない。たとえば、南海トラフ級の地震が沖縄近海で起きることを想定しての体制づくり。

「普段から、地域の医療関係者はもちろん、家屋の復旧に力を発揮してもらう大工さんなど、復旧・復興に関連するあらゆる技術を持った人たちを地域ごとにリストアップする。そして、『いざ』というときにすぐに活動できるシステムを事前につくっておく。また、看護師、保健師さんたちの海外、県外の救援活動や救援への意欲を、その属する病院や行政のトップにもっと理解をしてもらうよう、普段から働きかける。そんな地道な活動も必要ではないか、と」

救援に加えて、自然災害など不測の事態にも備える。それが「対馬丸」で犠牲になった同年代の人たちへの責任であり、「生かされた命」の義務でもあることを大仲さんは強く思う。

（2016年8月15日付「琉球新報」朝刊）

沖縄戦は、そのすべてが語られ尽くしたわけではない。証言を残さなかった人たちもいるからだ。ハルさんのように辛酸をなめた人、「集団自決（強制集団死）」から生還したものの家族を手にかけた悪夢から逃れられない人。こうした被害者だけでなく、日本兵として住民を虐殺した沖縄出身の兵士、学徒を動員して戦場に追いやりながら自らは打算的に立ち回って命を長らえた幹部教師など、時間の闇に逃げ切ったケース

もある。少年を強制動員して戦後のゲリラ戦を企図した中野学校出身者の存在も、知られざる沖縄戦の断面である。

「戦うべき国民」への動員

川満彰著『陸軍中野学校と沖縄戦　知られざる少年兵「護郷隊」』〈書評〉

著者の案内で沖縄戦の戦跡を巡ったことがある。史料／資料に基づく精緻な説明、直接聴き取った証言の分析。その口から丁寧に語られる史実に、耳を傾ける側は息を飲む。そんな著者が長年にわたって調査してきた「知られざる少年兵」と諜報機関、陸軍中野学校の姿を明らかにして沖縄戦の本質に迫った。

沖縄戦当時、中野学校の出身者計42人が沖縄に配置された。ゲリラ戦を指揮するため、各島々に分散した。沖縄本島北部では、地元の少年たちを召集し、第1、第2の「護郷隊」を編成した。兵役法の召集年齢（17歳以上）を下回る少年も含み、正規軍とは別に、橋りょう爆破や村への放火を強要した。ゲリラ部隊名の「遊撃隊」を秘匿して「故郷を護る」部隊と称した「護郷隊」の実態は、「故郷を壊す」ことだった。

何のために、そしてなぜ、年端もいかない少年が兵隊にならされてしまったのか。元隊員から証言を聴くたびに著者は自問自答する。やがてこの諜報機関の任務の先にみえる真のねらいに気づく。それは、住民は庇護すべき対象ではなく、国体護持のための動員対象でしかないという論理である。

日本政府は徴兵対象を拡大する義勇兵役法を、沖縄戦の組織的戦闘の終結日とされる１９４５年６月23日に官報で告知した。15歳以上60歳以下の男子、17歳以上40歳以下の女子に兵役を課すものだが、沖縄では、これに先行する形ですでに召集枠を広げられ、住民が根こそぎ「戦うべき国民」への変容を強いられていた。

第１護郷隊は６１０人中91人、第２護郷隊も３８８人中69人が犠牲になった。少年たちは戦後、順次、解散し、「潜伏」という名目でそれぞれの郷里に戻った。「潜伏」とは敗れてもなお「本土決戦」に備え、後方かく乱、諜報を続けるという意味である。かろうじてそれはまぬがれたが、一般兵士以上の異常な体験。「話すとつらい」と口を閉ざす元隊員が今も多いことに、著者は慄然とする。国家によって、守られるべき存在とは対極に投げ込まれた人の傷の深さが、本書を通じて痛いほど伝わる。

（２０１８年６月24日付「琉球新報」朝刊）

金城正子さんは、もっと下の世代だ。沖縄戦当時、３歳だった幼児に記憶はほとんど残っていない。しかし、沖縄の「戦争」は終っていなかった。戦闘が終結して３年後、伊江島で爆薬処理船が大爆発して１７５人が死傷した。その惨状は今も目に焼き付いている。

正子さんのしまくとぅば

孫娘はしばしば、小学校からの下校が遅くなった。祖母が事情を聴くと、「掃除しているからさ」と言う。実は、「方言」を教室で使ったための罰として「方言札」を首から掛けられ、居残りで掃除もさせられていた。戦前の話ではない。

その孫娘、金城正子さんは今、祖母から自然に学んだしまくとぅばで琉歌を詠じる。2011年、恩納村、恩納村商工会、「琉球新報」が共催する第21回琉歌大賞の一般の部の大賞を受賞したこともある。今年7月には、現在暮らしている嘉手納町の「しまくとぅば語やびら大会」で優勝もした。発表した演題は「迷惑(みーわく)な置き土産(みゃーぎむん)」。1948年8月6日、伊江島で起きた米軍爆薬処理船(LCT)爆発事件について弁じた。

沖縄戦が終結して3年後のその年、正子さんは事情があって本部町の家族から離れ、伊江島に住む祖母と2人で暮らし、小学校に通い始めていた。祖母は美しいしまくとぅばを使った。正子さんにとって、それが普通の言葉だった。しかし、学校には、「正しい日本語を使いましょう」の標語があった。しまくとぅばを口にすると、

「方言札」の罰が待っていた。

ＬＣＴの爆発当日夕刻、祖母の膝を枕にうたた寝の最中、自宅から２キロ先の港で突然、轟音が響き渡った。家の土台が大きく揺れる。真っ赤な炎が立ち上り、黒煙は天に届かんばかりだった。祖母は「くぬ音（うとう）や何（ぬー）やがやー、また戦争（いくさ）るやがやー」と飛び上がった。祖母に連れられ、爆発現場に向かった。太ももを切断されて亡くなったおばさんの姿を見た。黒焦げの遺体を背負って泣いているおじさんもいた。このときの光景が「忘れもしない戦争」として残る記憶だ。

この爆発で、入港したばかりの連絡船から下船中あるいは下船したばかりの乗客、船員、出迎えの人を合わせ１０２人が死亡、73人が負傷。さらに、近くの８家屋が全焼した。米軍側も米兵２人、乗り組みのフィリピン人11人が死亡した。

しまくとぅばの大切さを語る金城正子さん（2017年10月13日）

正子さんは、沖縄でもしばらくは知られることのなかったこの事件について証言を続けている。今年の8月6日は慰霊祭が行われた伊江島で当時の様子をやまと言葉で話し、その最後を琉歌で締めくくった。

「うちなー御万人（うまんちゅ）ぬ　命（ぬち）かける思（うむ）い　基地も押（う）し退（ぬ）けて　平和願い」

父は本部町出身で、働いていた大阪で召集され、その部隊が伊江島で戦った。戦死したのは伊江島での戦闘が終結した1945年4月21日とされるが、最期の姿を知る人はいない。遺骨もない。当時3歳だった正子さんに、父の生前の記憶はほとんどない。

その後、本部町の母の元に戻り、長じるにつれて標準語にも慣れてくる。母は「安寿と厨子王」や「母をたずねて三千里」、「安珍・清姫」の物語をよく話してくれた。本を使っての読み聞かせではない。母が独自に解釈した筋立てもあった。わくわくするような展開に、やまとの童話や伝説の世界にも正子さんの想像の翼が広がっていく。

戦後の沖縄は、みんな貧しかった。幼い弟を背負って登校し、イモを掘って母を助けた。「イモは栗よりうまい十三里さ」。母は博識で、いつも機知にあふれていた。子どもにとって、不思議な夢を持たせてくれる存在だった。母との言葉のキャッチボールは、正子さんを「ゆんたく好き」にした。

朝の4時には起きて、新聞をじっくり読むことから正子さんの一日は始まる。投書欄から読み始め、1面からテレビの番組案内面まで時間をかけてゆっくり読み、琉歌、短歌の創作に移る。新聞で気になることがあればノートに書き、投稿もする。

3年前、新聞に掲載された琉歌、短歌、エッセイをまとめた作品集『月桃』を出版した。タイトルには、母への想いを込めた。中学生時代、嘉手納でむーちーの行商を始めた母のために、雑木林の中に分け入ってむーちーを包む月桃の葉を集めた。どんなに苦しくても泣き言をいわなかった母は、正子さんをむーちーのように優しく包み込んでくれる月桃と重なる。出版は母の死から1年後だった。

「月桃ぬ花ぬ　露冠みて美らさ　美童ぬ如に　胸に飾て」

「月桃の花に　光る玉露や　戦争に散たる　人ぬ涙」

祖母から口伝えで心に入ったしまくとぅばは、母が広げた想像の世界にさらに豊かな彩りを添える。

「むぬかちゃー(物書き)おばさん」と人は呼ぶ。「そうさ、私。汗もかくし、恥もかく。ついでに頭もかく」。正子さんのゆんたくには、笑いが絶えない。声も大きい。嘉手納基地爆音訴訟の原告であり、「戦闘機の音に負けない」ためだ。苦しいことも、しまくとぅばをまじえたユーモアで笑い飛ばす。「気持ちが高ぶったら、しまくとぅばでないとね」。身長146センチの正子さんは背筋を伸ばし、凛として、大きく見える。

（2017年9月17日付「琉球新報」朝刊）

当時、小学生だった大仲良一さん。幼児だった金城正子さん。沖縄戦は、この年代の人たちをも巻きこんで悲惨な状況に追いやった。命こそ奪われなかったものの親を失い、戦後も十分なケアも受けずに放置された戦災孤児たちがいたことを忘れてはならない。

ただ、国は戦争被害に関する調査を明確な理由を欠いたまま沖縄県だけについては行っていないため、戦災孤児についての実態は、戦後70年以上を経過しても明らかになっていない。

わずかに、当時の状況をうかがわせる史実として、米軍は民間人収容所に合計10カ所の孤児院を設置、収容された子どもたちは計約1000人に及んだとされている。子どもたちは次々に近親者が判明するごとに引き取られたが、引取先の生活苦などから学校に通えないケースも多く、行政の生活支援体制がない社会環境のなかで、実態把握ができないままになった。

那覇市に2004年に開校した自主夜間中学校、珊瑚舎スコーレに学ぶ生徒は、孤児だった人を含むお年寄りたちだ。

入学者は圧倒的に女性が多い。両親を失った戦場体験も凄まじいが、戦後、「女に教育はいらない」と引き取り先に半ば強要されて小学校を「中退」し、子守りや行商の手伝いに駆り出されるという過酷な生活を強いられた人も珍しくない。仕事や子育てに一区切りをつけ、夜間中学校で勉強をし直し始めたときは、人生も終章にさしかかろうとする年齢に達している。

大きな課題を残して今に至るこうした実態を垣間見るだけで、沖縄戦は終っていないことを実感できる。そして、戦後生まれの世代にも戦争が影を落とし続けていたことも。

このような歴史は、日本本土ではほとんど知られていない。「復帰」後も、それ以前と変わらない沖縄の状況に無関心や無視でしか応えなかった多くのヤマトンチュウ。どれだけウチナーンチュを傷つけたか。シンガーソングライターの知念良吉さんは演奏中、分身のギターの弦が切れるほどに悔しさを右腕に込めた。

沖縄の憤怒

それは、やはり、憤りと怒りの突出だったのだ。

20年以上前、大阪で知念良吉さんと出会った。小規模とはいえ、老舗の音楽ホールに登場したシンガーソングライターの知念さんはさぞかし落胆したに違いない。沖縄から受け止めて欲しいメッセージを携えてやって来たのに、聴衆は私を含めてわずか、3人。それでもコンサートは、定刻通りに始まり、知念さんは10を超える自作の曲を朗々と、そして、激しく、歌った。

その途中、分身と言うべき愛用のギターの弦が突然、切れた。しかも、2度も、3度も。その都度、私たちに謝りながらも、知念さんは切れた理由を詳しくは語らなかった。弦を修復した後の歌声に、猛獣の咆哮(ほうこう)にも似た激しさが混じることには気づいていた私も、切れた理由を質すことにためらいがあった。ただ、抑えてきたいい知れない感情が想定外の力となって、本来、切れるはずのない弦に圧力を加えたのではないかと想像はできた。

それから20年超の時間が経過し、私が沖縄に居を移して3年になる。

この間の辺野古をめぐる動き――とりわけ民意を無視した政府の傍若無人な振る舞い――を知るたびに、私にでさえ憤りと怒りが湧いてくる。現在、体調不良の身だが、ギターの弦を切ってしまうほどの力を実感できる。あのときの知念さんの心の内が、今なら理解できる。

弦はなぜ切れたか

その確信が裏付けられた。

（２０１８年12月）22日、「コザ騒動（１９７０年12月20日未明）の現場を歩く」の企画に「騒動」当時、高校生だった知念さんが証言者として参加し、嘉手納基地の第２ゲート近くでミニコンサートも開いた。病気を押して私はこのコンサートだけに駆けつけた。時間の関係で披露したのは２曲だった。歌い終えた知念さんに声をかけ、久しぶりのあいさつもそこそこに、切れた弦のことを尋ねた。

「実は大阪や東京で、当時の沖縄の現状に対する本土側の無知や無理解を感じていたんですよ。話しても歌っても伝わらない。そんないらだちが、腕の力を何倍にもして、弦を切らせた。私にとっても忘れがたい記憶」

施政権が返還され、本土に復帰（72年）しても米軍基地はそのままに置かれ、「俺の生まれた町には金網がある」（知念さん作詞、作曲）ことによって繰り返し生じるレイプ、人殺しのすさんだ状況に変わりはなかった。にもかかわらず、大半が無関心な本土側の冷たい眼差し。憤りと怒りさえ知念さんは感じ、それでも心に抑え込んで私たちに沖縄の現状を伝えようとしていたのだった。

やがて暮れようとする２０１８年の現況はどうか。

民意を逆なでして辺野古の埋め立て工事が始まった。「唯一の解決策」とする辺野古での新基地建設は、「国民のため」と防衛相は言明する。しかし、沖縄戦では「軍隊は住民を守らなかった」ことが史実であり、民衆知として今に伝わる。沖縄戦が

嘉手納基地前で歌う知念良吉さん。左奥基地内に日米の国旗が翻っている（2018年12月22日）

基地問題の原点であるのだ。

「沖縄に寄り添う」と言葉にした安倍晋三首相の言行不一致と軽さ。一方で、沖縄でますます鮮明になる歴史への真摯さと民主主義の尊重。沖縄発のこうした愚直なまでの魂は、ギターの弦を切らせるほどの強い力を、今も持ち続けている。

（２０１８年12月28日付「琉球新報」朝刊）

II

いま——鮮明にする立ち位置

普天間飛行場の金網越しにオスプレイが並んで駐機しているのが見える（2016年12月10日）

沖縄の戦後に目を注げば、多くの沖縄戦研究者やジャーナリズムの立ち位置が鮮明であることに気づく。圧倒的な住民犠牲という沖縄戦の明らかな史実に直面すれば、これを伝えるジャーナリストは「殺される側の論理」（本多勝一さん）に寄り添うことこそが求められていると私は思う。このため、新聞は常に記者の行動と報道内容を検証し、読者に提示する必要がある。

記者は日常的には黒衣（くろご）をまとっていても、情報を伝達する単なる機械ではない。喜怒哀楽を抑えて取材し原稿にまとめるのが通常だが、取材相手の感情を正確に伝えるための「人としての心」を忘れることはない。

誤解を恐れずにもっと言えば、記者の存在を離れた「客観的事実」など実在しない。記者の気迫と凛とした姿勢で紡ぎ出す言葉こそが、真実をえぐり出し、読む側に共感を広げることになる。記者の責任は、それほどまでに重い。

着陸帯工事再開・記者ドキュメント——距離感埋める息づかい

事態が激しく動くなか、記者たちは考え抜き、憤り、泣いて、取材現場に立つ。目の前の出来事、現象だけに目を奪われることなく、その背景と見通しを念頭に置いて記事を書く。状況に取材者として関与するとき、記者も当事者なのだ。(2016年12月)21日付「琉球新報」の「着陸帯工事再開ドキュメント」で、そのことをあらためて確認し、「記者の責務」の重さを思う。

「ドキュメント」は、東村と国頭村に広がる米軍北部訓練場のヘリコプター着陸帯(ヘリパッド)建設をめぐる動きを、記者も登場させながら2ジペーにわたる見開き紙面で展開した。

普段、記者は署名以外に紙面に姿を見せることはめったにない。報道は客観的であらねばならず、記者の主観を表明する場ではないとされるからだ。だが、記者は機械ではない。どういう立場の取材対象であっても、その話を聞けば、人間としての反応が生まれる。そして書くべき基準と論理は、国民主権、基本的人権、平和主義の憲法3原則にある。これを認識したうえで何を、どう書くかが、記者の資質となる。

今年5月19日、米軍属の男に殺された当時20歳の女性の遺体が発見された夜。「琉球新報」編集局は沈痛で形容しがたい雰囲気に包まれた。輪転機が回り始めたころ、松元剛・報道本部長兼編集局次長が、各部の部長、デスク、記者を集め、声を震わせ言った。「われわれは彼女の命を守れなかった。御霊に黙祷しよう」。集まった全

民意反する強行

着陸帯工事再開ドキュメント

高江、記者の5ヵ月

権力に抑圧される現場

【ヘリパッド取材班】東村と国頭村に広がる米軍北部訓練場のヘリコプター着陸帯（ヘリパッド）が完成したとして、政府は22日、名護市で完成式典を開催する。政府は建設に反対する市民らの阻止行動を機動隊を使って抑え込み、建設を計画していた6カ所のヘリパッドのうち、残る4カ所の工事を強行した。琉球新報社はヘリパッド建設工事再開に向けた準備が始まった7月11日から、ヘリパッド自体の工事が完了したとされる12月16日までの約5カ月間、連日にわたって北部報道部を中心に編集局各部から記者を現場に派遣し取材してきた。その数は延べ220人に上る。記者は、非暴力だが無抵抗ではない市民らの阻止行動や、圧倒的な数と権力で阻止行動を封じる警察の活動、静かな生活が一変し、戸惑う付近住民の様子を克明に記録してきた。記者は現場で何を感じてペンを握り、カメラを構えていたのか。時には怒り、驚き、笑い、泣いてきた記者の約5カ月にわたる思いを紹介する。

市民らが設置したテントや車両を機動隊が撤去する現場で、機動隊員に囲まれながら撮影した写真を確認する琉球新報社の阪口彩子記者（右）＝7月22日、東村高江のN1地区ゲート前（森住卓氏撮影）

7月

7月11日　新たな米軍施設の建設に反対する候補が圧勝した参院選投開票日翌日、沖縄防衛局は早朝から米軍北部訓練場のメインゲートに機材を搬入した。市民らはゲート前に座り込んで搬入を阻止しようとしたが、県警の機動隊員約60人が市民らをごぼう抜きするなどして排除した。

参院選投開票日翌日の午前6時すぎ、高江ヘリパッド建設反対現地行動連絡会の間島孝彦共同代表から阪口彩子の携帯に電話が入る。「機動隊がたくさんいる」。那覇市にいた阪口は驚きながらも北部報道部に「現場に向かってほしい」と連絡を入れた。

7月19日　取材のため東村高江の新川ダム入り口を車で走行中、古堅一樹は福岡県警の機動隊らの検問を受けた。検問理由を聞くと「安全のため」「これ（免許証）が切れているかも」と説明を受ける。米軍関係車両は検問せずに通し、座り込む市民から「やるなら米軍も検問しろ」との声が上がる。県外から派遣された機動隊員は戸惑い、ちぐはぐな対応をしていた。

7月21日　満点の星空のもと機動隊車両の赤色灯が光る。米軍北部訓練場のN1地区ゲート前。深夜、抗議する住民の1人が静かに酒を飲みながら座り込む。「こんなに静かなのに。本当に工事は再開されるのかね」。尋ねられた宮城久緒は「どうでしょうか」と答えるのが精いっぱいだった。

車の上で抗議する市民の手を引っ張る機動隊員＝7月22日、東村高江

7月22日　沖縄防衛局は早朝、建設に反対する市民らが米軍北部訓練場のN1地区ゲート前に設置していたテントや車両を強制的に撤去し、新たなゲートを造った。市民らは車両を県道70号上に並べた上で道路に座り込み、抵抗したが、県外からの機動隊員約500人によって、排除された。この日以降、ほぼ毎日、ヘリパッド整備に使用する砂利などの搬入作業が続いた。

午前0時をすぎて緊迫度が増したN1地区ゲート前。市民らの車100台以上が県道70号の中央付近にずらりと並べられた。沖縄平和運動センターの山城博治議長は「これでテントや車両を撤去するための車両は入ってこれない」と自信を見せた。宮城久緒は本社に電話を入れ「市民のテントや車両の撤去はとても無理だと思う」と報告した。

未明、県道上に1人ぽつりと警備に当たる県外の若い機動隊員がいた。「お疲れさまです」と話し掛けると、彼は「星、きれいですね」と空を見上げた。長濱良起は「彼にはもっと違う形で沖縄に来てほしかったな」と思いながら一礼し、またそれぞれの立場に戻った。

早朝。夜も明けきらない暗闇の森で地響きのような機動隊車両のエンジン音が聞こえる。具志堅千恵子はこれから始まる出来事が穏やかでないと思った。

同日、工事着手。具志堅がカメラを構えると機動隊員の壁ができる。脚立に上れば「危ないから」と言われ、揺り動かされる。「そうすることが危険じゃないか」と声を荒らげても、謝るどころか拡声器で「新報さん」と注意される。

午前5時半ごろ、県道70号の北側から機動隊数百人が隊列を組んで現れ、横一列に並んだ後、座り込む市民らを次々に排除していく。座り込む男性が「えー、兄さん」と沖縄県警の機動隊員に強く抗議する。古堅一樹は「政府が基地建設強行を決める中、同じウチナーンチュ同士が現場で対立させられる状況は何ともやりきれない」と感じながらシャッターを切り、ノートにペンを走らせた。

午前8時55分　N1ゲート前の車両の上で機動隊と市民らがもみ合い。叫ぶ人や泣く人の声を聞きながら「地獄絵図だ」と思いながら阪口彩子はシャッターを切り続けた。

午前11時45分　県警の広報担当者が「マスコミは下がってください。記者クラブで問題にしますよ」と言い続けることに、阪口は強い疑問を抱く。「取材先の言いなりになる記者は落第だ」と思いながら「なぜ駄目なのか説明してほしい」と問いただした。

400人近い機動隊が、市民らが道路中央に止めた車両一台一台を移動した。市民らを囲い込んで新たなゲートも造った。宮城は市民らの無念さや政府の問答無用の仕打ちにやり切れなさを抑えられなかった。

新川ダムから北側の県道70号が規制された後に到着した沖田有吾は、現場の警察官になぜ米軍車両は通して一般車両は通さないかを質問しても、誰も答えないことに「生活道の通行を規制しているのに説明さえもしないのか」とあぜんとする。

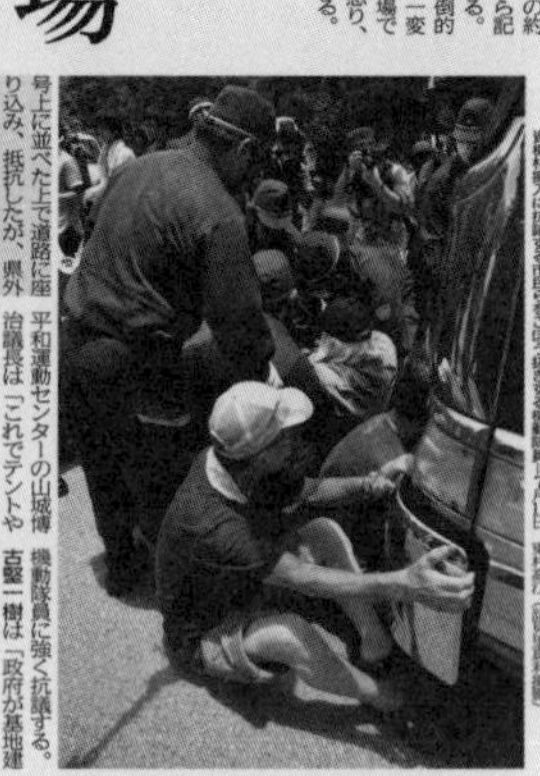

資機材搬入に抗議する市民をごぼう抜きする機動隊員＝7月22日、東村高江

午後0時40分　工事車両の搬入時に大雨が降り、高江の安次嶺現達さんが「泣いている」とつぶやく。伊佐育子さんは雨に打たれながら「森の生き物たちを守れない」と涙を流す。その声を聞き阪口は「くやしい×8（無限）」とノートに書き殴る。

7月24日　県外からの機動隊員がゲート周辺の警備に当たっていた。新垣和也は隊員とすれ違う際「ご苦労さま」と声を掛けた。22日の住民排除で厳しい報道をしていたが、何が問題視されているかを知ってもらうためにも、いたずらに敵対した態度を取るべきではないと考えた。取材時以外は声を掛けるようにすると、多くは目礼で返してきた。何かを感じ取ってくれる人がいたかどうか。

7月25日　チョウ類研究者の宮城秋乃さんと国頭村の普久川を歩いた。原始の森に一歩足を踏み入れれば、準絶滅危惧種のリュウキュウウラボシシジミが足元を舞い、耳を澄ませばノグチゲラやホントウアカヒゲのさえずりが重なり合う。清流を口に含み、大きな深呼吸をしてみると當銘千絵の心はたちまち開放されていく。人間も動植物も、みんな大自然に生かされた命であることを痛感した。

7月26日　北部報道部会議。東村高江と国頭村安波で一軒一軒を訪ねる住民アンケートを実施することを決める。

7月30日　アンケート初日。朝から夕闇が迫るまで高江区を巡り住民の生の声を聞き取る。阪口彩子は「こんな小さな集落で対人関係で住みにくくなったら終わりだ。交付金やヘリパッドの賛成・反対も何もない状態を望んでいる」という言葉にショックを受ける。

「琉球新報」は記者の動きを紙面で伝えた（2016年12月21日付朝刊）

員が短い時間、目を閉じた。この無残で卑劣な事件の結末を耳にした多くの読者は、それぞれの家庭で、職場で同じように黙祷し、手を合わせたに違いない。われわれがこの事件を報じるのも、読者の思いに添うものでなければならない。事件後、何人もの記者が遺体遺棄現場を訪れ、手を合わせてきた。取材ではない。痛みを感じる人間として、だ。

記者たちの、こうした動きは紙面化されることはなかった。基地があるが故の犯罪として米軍、そして日米地位協定の存在そのものを視界にとらえたその後の報道の行間に、記者たちの思いは垣間見えたし、識者の論評にも、うなずくような記者の姿が重なった。しかし、「舞台裏」を出すことについてはまだ、ためらいがあった。

では、今回、なぜその壁を破ったのか。

「ドキュメント」は7月11日の動きから始まる。

新基地建設に反対する候補者が圧勝した参院選開票から1日も経たない翌日早朝、沖縄防衛局が米軍北部訓練場に建設資材を搬入した。「まさか、そこまで……」。県民の多くにとって、それは不意打ちに見えた。記者も、同じだった。以後、怒濤のように、国と米軍は圧力の度を強めていく。500人の機動隊。反対する人たちに「土

高江の上空を飛ぶオスプレイ（2017年2月13日）

人」という差別発言を投げた大阪府警の機動隊員もいた。そして、それを「ご苦労さん」とねぎらう大阪府知事、「差別とは断じて言えない」とする態度を続ける沖縄担当大臣。オスプレイが墜落しても「人家を避けたパイロットは感謝されるべき」と言い放った駐沖米軍のトップ。住民の人権、民意をないがしろにしていることは明らかだ。

　こうした事態で問われるのは、ニュースの質であろう。一連の動きを現場で目撃し続けてきた記者そのものが媒体となり、住民の動きと思いに自らの営為と姿勢を重ね合わせることで住民、読者との距離感を縮めて現場をめぐる状況をより正確に伝えることができはしないか。とりわけ、辺野古訴訟の沖縄県敗訴に至るまでの経緯がヘリパッド建設に影を落とし、強権的な国の姿をあらわにするには、断片のニュースを届けるだけの手法では伝えきれないものがあったのだ。

「琉球新報」は2004年から翌年にかけて『沖縄戦新聞』に取り組んだ。戦争を知らない（体験をもたない）記者が60年前にさかのぼり、戦争当時では念じてもかなわなかった沖縄戦の実相報道を、住民に視点を置きつつ新聞という舞台で展開した。その最終号の「終了に当って」のなかで読者に向かって誓う。「新聞は戦前、戦中の一時期、戦意高揚に加担した負の歴史を背負っています。琉球新報も例外ではありません。『戦のためにペンを執らない』。戦後60年の今、報道の現場に立つ私たちは、この企画を通してあらためて誓いたいと思います」。

この誓いは、沖縄戦という辛苦の歴史から記者が体得したものだ。71年の時間を経ても生きる、そして今後も決して放さないはずの「記者の責務」を自らに問いかけ続けるものでもある。「ドキュメント」に同じ言葉はない。しかし、戦争の影を住民と共に感じるその息づかいが誓いに重なる。

（2016年12月24日付「琉球新報」朝刊）

戦時中、新聞は大本営の広報機関と化し、「死に体」となっていた。沖縄の新聞も例外ではない。戦争を煽り、住民を戦場に駆り立てた。

戦後は一転し、その反省に立って出発した。米軍統治下の27年間、憲法が適用されない時代に、弾圧に抗して言論の自由を獲得していった。だからこそ、「琉球新報」と「沖縄タイムス」の2紙には国民主権、基本的人権、平和主義が行間ににじむ。イデオロギーで記事を書いているのではない。読者である住民が手にした価値観に寄り添っているからである。安倍晋三首相の思想に近い政治家や文化人が「沖縄2紙をつぶせ」と言い放つとき、それは沖縄住民の心を殺せと言うに等しい。史実をきちんと把握した人であれば、そうした言葉は思いつきもしないし、決して口から出てもこないだろう。

新聞も死んだ沖縄戦

那覇市の波上宮に接する小さな丘、旭ヶ丘公園の一角に「戦没新聞人の碑」がひっそりと立っている。凝固岩を削ってできた碑の表面は一部が変色し、背後のガジュマルが影を落とす。新聞らしい活字体で刻まれた碑文を読む。

「一九四五年春から初夏にかけて沖縄は戦火につつまれた　砲煙弾雨の下で新聞人たちは二カ月にわたり新聞の発行を続けた　これは新聞史上例のないことである

その任務を果たして戦死した十四人の霊はここに眠っている」

碑文に直接の言及はないが、1945年5月末、最後は首里城内の壕の中で発行し続けた沖縄の新聞は全国で唯一、戦争による廃刊を余儀なくされた。民間人の犠牲が正規軍のそれを上回る沖縄戦では、記者も命を落とし、新聞は命脈が尽きた。

碑文にある「任務」の質を考えるためにも、戦前、戦中の新聞をめぐる動きを駆け足でまとめておこう。

「満州事変」(1931年勃発)を機に、日本は次第に戦時経済に移行し、やがて新聞にとって命綱ともいえる紙・パルプを含む33種が閣議決定で使用制限品目とされた。これを受けて全国の新聞社の自主的統制機関であった日本新聞聯盟が加盟各社の発行部数に応じた用紙配給案を政府に答申し、同時に政府が新聞社の統合に着手した。大都市圏の全国紙は存続、その他の地域では「1県1紙」に統合するとされ、沖縄では日米開戦の前年、「琉球新報」、「沖縄朝日新聞」、「沖縄日報」が統合して「沖縄新報」となった。廃刊になったのは、この「沖縄新報」である。戦没したのは「沖縄新報」12人と、沖縄で発行はしていなかったが、ニュースを送り続けた「朝日新聞」と「毎日新聞」の各1人だった。

日本では戦時下の新聞のほとんどが戦争を煽り続けた。軍に批判的な論陣を張った記者もいたが、それは例外中の例外だった。戦争相手を「暴戻」としたり、「鬼畜」とも呼ぶ見出しが紙面に躍った。

「沖縄新報」も戦争に協力した。沖縄戦前年の「10・10空襲」の際、号外を発行したものの、「流言を恐れて」被害を過小にしか伝えなかった。沖縄戦の年の1月27日付紙面では、住民の疎開に関連して第32軍（沖縄戦を戦った日本軍）参謀長の「県民が餓死するからといっても軍はこれに応じるわけにはいかぬ。われわれは戦争に勝つ重大任務遂行こそ使命であれ、県民の生活を救うがために負けることは許されるべきではない」という住民無視の恐るべき発言に特段の批判を加えることなく、その言葉を垂れ流し的に報じている。見出しは、「敵若し上陸せば合い言葉〝1人10殺〟で征け」。参謀長の大言壮語そのままであった。住民の生活よりも軍の論理を優先して紙面化す

戦没新聞人の碑（2018年4月1日）

ることを「任務」とした新聞は、廃刊になる前からもう、死に体と化していた。

こうした負の歴史に向き合うと、胸が痛む。しかし、沖縄戦体験者の心に耳を澄まし、継承者から戦争体験の継承の意義を学ぶとき、たとえ戦後生まれであっても、代を継いだ新聞人の姿勢が実は問われていることを強く思う。

今、戦のためにペンを執らない

私は戦跡を巡る際、ある「新聞」に必ず目を通してから出発する。「琉球新報」が戦後60年の節目に取り組んだ「沖縄戦新聞」である。２００４年７月から翌年９月までの間、14号にわたって発行された。「サイパン陥落」から「南西諸島の日本軍降伏」までの1年2カ月の時空間で沖縄戦をとらえ、戦後生まれの記者たちが「今の情報と視点」で徹底的に住民の側に寄り添い、「琉球新報」とは独立した形で沖縄戦を伝えた。その1面社告は毎号、戦意高揚に加担した過去の新聞の歴史を自らも背負っていることを言明して先人の責任を引き受けた。さらに、最終号で読者に向かってこう記している。

「『戦（いくさ）のためにペンを執らない』。戦後60年の今、報道の現場に立つ私たちは、この企画を通してあらためて誓いたいと思います」

人間が人間でなくなる。軍隊は住民を守らない――民衆知として今に伝えられる沖縄戦の実相を、先人が念じてもできなかった「任務」として報じ続ける使命が戦後の新聞人にはある。新聞は国家のためにあるのではない。住民のためにある。苦い歴史の教訓は、「任務」の質を新聞人に突きつける。

月桃の花が間もなく咲く。白い花弁に梅雨の雨が伝わって流れるとき、沖縄戦は激化していた。その記憶が土地にいっそう強く蘇る季節を前に、新聞人の新たな誓いを深くかみしめる。

（2018年4月6日付「琉球新報」朝刊）

沖縄でも現役の記者であり続ける私は常に、記者と新聞の役割を意識している。大学院での研究テーマもこの観点で選んだ。こうした「戦争と新聞」について、2019年、次のようなトークイベントを那覇市内で行った。

沖縄戦継承ジャーナリズムを考える〈トークイベント〉（「琉球新報」記事より）

元「毎日新聞」大阪本社編集局長で本紙客員編集委員の藤原健さんが著書『魂（マ

ブイ）の新聞――『沖縄戦新聞』沖縄戦の記憶と継承ジャーナリズム』について本紙の松元剛編集局長と10月19日、ジュンク堂書店那覇店でのトークイベントで語り合った。琉球新報社の創刊１２５周年記念出版で、本紙企画「沖縄戦新聞」（２００４年７月〜05年９月、全14号）を素材に沖縄の新聞ジャーナリズムが沖縄戦の記憶継承にどのように取り組んできたか、を分析している。対談内容を連載で紹介する。

「住民史観」で視野拡大

松元　「沖縄戦新聞」は戦後60年の節目に、戦後生まれの記者が、最新の情報で、住民の視点を放さず、「自分ごと」として捉え、「新聞」という形で、沖縄戦の全体像を再現した。

藤原　今挙がった観点はどれも大切だが、「住民の視点」が最重要だ。戦争は国と国との軋轢、軍と軍との物理的衝突―として語られることが多いが、沖縄戦の場合、住民の居住地が戦場になったという意味で住民一人ひとりの悲惨さの複合という視点を放さないことが必要だ。また、頻発した住民虐殺という観点では、住民と軍との緊張関係も見落とせない。

「沖縄戦新聞」は「サイパン陥落」（1944年7月）を第1号として始まる。なぜか。

取材班はサイパンでの日本軍敗退によって「絶対国防圏」が崩れ、住民も軍と共に「玉砕」したという大本営の発表もあったことを重視している。当時、サイパンを含む南洋諸島は「第2の沖縄」と言っていいほど、沖縄からの移住者や出稼ぎ者が多くいた。この南洋を身近に感じていた沖縄住民は、「次は沖縄」という具体的な不安を抱いた。

44年の3月、第32軍が沖縄に創設された。初代司令官の渡辺正夫は沖縄本島を中心に演説して回り、住民に「玉砕」を求め、これが住民の感情に大きく影響した。

軍事史的には、「陥落」の3カ月後の44年10月3日、米統合参謀本部が沖縄攻略作戦を秘密裏に決定した。沖縄戦は45年3月26日、米軍が渡嘉敷、座間味に上陸した時から始まるとされるが、沖縄戦はその半年以上も前に米軍によって具体的に準備されていた。

取材班は、こうした軍と軍との動きの他に、住民が察知したであろう具体的な不安、恐怖心に着目したことになる。いわば、沖縄戦の始まりを告げる「前奏曲」をサイパンに聴いたことになる。この「住民史観」でながめると、沖縄戦の終結も6

月23日ととらえきれない。

松元　南西諸島の日本軍が降伏調印したのは9月7日。住民にとって軍事的な節目とは別に、それぞれが「終わり」を意識したのは、米軍に保護されて戦闘に巻き込まれる直接の危険から脱したときではないか。

「生きて虜囚の辱めを受けることなかれ」の「戦陣訓」や第32軍の2代司令官、牛島満の「悠久の大義に生きよ」という最後の「命令」を考えてみると、住民は死ぬこと以外に「負ける方法を知らない日本軍」の絶望的な戦いに巻きこまれていった。「沖縄戦新聞」は当時と同じ時間の流れの中で沖縄戦の視野を広げて展開した。

戦争加担、新聞の責任問う

藤原　沖縄戦を体験した住民の「民衆知」として、「軍は住民を守らなかった」ということがある。この「軍」とは日本軍のことだが、戦闘が終わると今度は、米軍占領で新たな基地が造られた。基地が存在するがための事件が今日まで頻発し続けていることで、この「民衆知」の実感は消えない。基地問題の出発点を沖縄戦とする「戦後ゼロ年」との立場では、広い意味での戦争はまだ終わっていない、ということになる。

「沖縄戦新聞」のもうひとつの柱は「新聞、及び記者の責任」を問い続けたことだ。住民の視点で沖縄戦をみた時、当時の新聞記者が誰一人として戦争を食い止めようとしなかった（数少ない例外を除き、全国のどの新聞記者もそうだった）ことについての責任だ。これをほぼ毎号、社告で明示し、最終号の第14号ではさらに昇華させて「二度と戦争のためにペンを執ることはない」と読者に誓うまでになった。住民視点を放さなかったが故にジャーナリストの背負うべき気概と責任を明言したことになる。住民視点と自省。この二つが大きな柱だ。

松元　どのような取り組みで本にまとめたのか。

藤原　「沖縄戦新聞」の取材班（総計19人、調査を始めた2016年時点で16人が在籍）と、その後継企画とも言える連載「未来に伝える沖縄戦」にかかわっている6人の若手記者への対面、アンケート調査を重ねた。これに加えて「琉球新報」、「沖縄タイムス」の2社が沖縄戦の記憶継承の連載、特集をどう展開したか、を知るために両紙の社会面、文化面をほぼ全てを読み切り、時代を区分して傾向を分析した。戦後の沖縄の新聞ジャーナリズムの良質な部分は「住民の視点」だが、これが「沖縄戦新聞」に流れ込み、さらに勢いを増したことが確認できた。

その流れは50年代に出版された本から始まった。「沖縄戦は沖縄人によって、沖縄人の視点から」を掲げた「沖縄戦三部作」が提起した共通する視点だ。「沖縄戦三部作」は沖縄タイムス社編著『鉄の暴風』(50年)、仲宗根政善著『沖縄の悲劇—姫百合の塔をめぐる人々の手記』(51年)、大田昌秀、外間守善編『沖縄健児隊』(53年)だ。

新聞で継承ジャーナリズムが確固としたものとして形づくられるのは、70年代以降のことだ。77年の33回忌(ウワイスーコー)を期に、沖縄戦における個人の死を社会的な死としてとらえ返したり、戦場で起きたそのままの事実を証言する人が増えてきた。また、沖縄県史や市史、町史、字史の編さんの動きが出てくる中で多くの人々の聞き取りが行われ、圧倒的多数の証言が発掘されるようになった。83年〜2013年には1フィート運動があり、フィルムを見た人が自分の実体験を語り始めた。「沖縄戦新聞」はこうした流れを背景として意識し、かつてないスケールと倫理観で沖縄戦を捉えることに成功した。

「沖縄戦新聞」は14〜15年前の作品だが、その視点と企画力は今も輝きを失っていない。

思念の塊、工夫して伝える

松元　藤原さんは那覇市の波上宮の丘にある「戦没新聞人の碑」を何度も訪ねている。

藤原　あの碑文は新聞の役割について、このように書いている。「1945年春から、初夏にかけて沖縄は戦火に包まれた。砲煙弾雨の下で新聞人たちは2カ月にわたり新聞の発行を続けた。これは新聞史上例のないことである。その任務を果たして戦死した14人の霊はここに眠っている」。しかし、新聞の任務は発行するだけではない。私は碑文に向き合うたびに以下のように変えてみてはどうかと思う。「1945年春から初夏にかけて沖縄は戦火に包まれた。新聞人たちは砲煙弾雨の下で新聞の発行を続けたが、5月末廃刊に追い込まれた。これは日本の新聞史上例のないことである。沖縄戦で、戦没した新聞人は14人。その霊を慰める一方、新聞が戦争をあおったという史実を忘れないために今、戦争に加担するためのペンを持たないことを覚悟を持って誓う」

松元　当時大本営発表の「戦況」を流して戦意を高揚することで、大きな犠牲を招いた新聞人の責任を振り返る上でも非常に重い提起だ。「何を、いかにして伝えるか」が新聞の役割であり、根幹でもあるということだ。新聞人は戦争に与しない。

必要なのは、その覚悟と行動で、そのためには歴史や人間の尊厳への想像力と真摯な視点が欠かせない。まさに「炭鉱のカナリア」のように、時代の底流に常に鋭敏で、さらに知見に基づいて警鐘を鳴らすような観察眼も持ち合わせることが必要だ。

大本営の広報機関と化した戦前・戦中の全ての新聞は軍の宣伝機関と化していたという意味で役割を果たしていなかった。その観点から言えば新聞は「死に体」だった。こうした負の歴史を踏まえ、戦後の沖縄戦継承ジャーナリズムは出発した。

藤原　その通りで、新聞の役割をシンプルに言えば、何を、どのようにして伝えるか、ということに尽きる。〝何を〟は、端的にいうと「思想」だ。「思想」といっても、「〜主義」のようなイデオロギーではない。戦後沖縄思想史の研究家、鹿野政直さんにならって「ある状況に向き合った際に湧き起こってくる思念の塊」と定義してみる。その上で住民の視点を放さない「沖縄戦新聞」を読むと、この新聞は基本的人権が根こそぎ刈り取られた戦場に目を凝らし、住民のうめき、戸惑い、悔恨に息を飲み、耳をすましていたことがわかる。

生き残った人の証言を当時の年齢で語ってもらうことで、よりリアルな感じを活写している。「どのように伝えるか」を意識した工夫だ。他にも「識者の視点」や「戦から見える憲法」というコラムを連載することで工夫を倍加させている。

こうして導かれるのは、戦闘から生き延びた住民の「何のための戦争であったのか」という想いから生まれた反戦・非戦の心、理不尽な死の弔い。そして、だからこその平和、心の平穏。さらに、戦争は人災であり、これを食い止めるのは、主権者としての国民だ。「沖縄戦新聞」が行間で強調したものは、基本的人権の尊重、平和主義。そして、戦争を食い止めるための国民主権への目覚めだ。

これは憲法の3原則に重なる。ただし、取材班全員に対面やアンケート調査を重ねてみると、初めから3原則にとらわれて取材を進めていったのではなかった。自分たちにとって未体験の沖縄戦とその記憶の継承にかかわることが沖縄の新聞社、記者の主要な仕事である、という自覚が出発点。そして、知らなかった史実についての知識を深め、再現の際、さまざまに衝突し合う記憶の中から何を取捨選択するかという、知と新聞人の良心の基準レベルを高めた。この思考メカニズムが戦争を食い止めることができなかった先人の姿を浮き彫りにし、自省につながった。

松元　今の時代につくるべき紙面と発信方法はどうあるべきか、という問題提起だと受け止めた。沖縄戦体験の証言者が減る中で、「証言なき時代の継承」が喫緊の課題だ。戦後75年、80年を見据え、沖縄戦をどう伝え、ジャーナリズムはどうあるべきか。

藤原　急速なＩＴ化でメディア環境は大きく変わっている。しかし、「沖縄戦新聞」に取り組んだ際の記者の気構えと矜持(きょうじ)、姿勢、これはどんな時代でも変えられない。やり方はいろいろある。例えば、ひめゆり平和祈念資料館では元学徒が戦場をくぐり抜けて得たメッセージを、発信する一方、世界の戦争博物館とネットワークを築こうとしている説明員、学芸員がいる。その継承者たちと、継承者でありたいという自覚を持った新聞記者がこれまで以上に連携する。そして、密な情報交換、継承のための研修を積み重ねてそれぞれの専門領域に「越境」しながら、当事者意識を広げていく。「オール沖縄の記憶継承」として行政、教育現場とも協力し合う。こうすることで、お互いがやるべきことが見えてくる。

もうひとつはジャーナリズムの課題だ。沖縄についてほとんど知らないか、偏見でながめている本土のジャーナリズムに沖縄戦を出発点とする沖縄の現代史についてもっと知ってもらうことだ。毎年の沖縄戦の報道を本土の理解あるメディアに同時に展開してもらうのはどうか。沖縄戦のことを知ることで、辺野古や普天間飛行場の問題への理解も深まる。
私がこの場から語ったことは、沖縄の近現代史と現状を無視せず、関心を持ち続けて忘れないことが、この国の現状を知るためにも、いかに大事かということだ。その上で、住民の死者の方が兵士よりも多かった沖縄戦、本土から切り離されて憲法の適用外に置かれた戦後の27年間。この歴史を通じて培われた沖縄のジャーナリズムの持つ普遍的意味をジャーナリズム全体の財産にするにはどうしたらいいか。具体的な形を考え、つくりあげることだ。
松元　沖縄のガンジーと言われた阿波根昌鴻さんは「平和の敵は無関心、戦争の友は無関心」という言葉を残した。無関心の壁を乗り越えるためにも沖縄のジャーナリズムが果たすべき工夫と、工夫を凝らした紙面作りを通して、沖縄戦を二度と起こしてはいけないというジャーナリズムの役割と責任をしっかりと果たしていきたい。

（２０１９年11月１、２日付「琉球新報」朝刊）

このトークの内容は、日本新聞協会発行のジャーナリズム専門誌「新聞研究」の求めで書いた次の論文が下敷きになっている。

記憶継承のジャーナリズム　その意味と真価～『魂（マブイ）の新聞』から読み解く「沖縄戦新聞」〈寄稿〉

昨年12月、自らの修士論文に手を加えた『魂（マブイ）の新聞――「沖縄戦新聞」沖縄戦の記憶と継承ジャーナリズム』（以下、本書）を出版した。出版元の「琉球新報」から創刊125年の記念出版に位置づけられ、大学院からは現代沖縄研究奨励賞を受けた。

マブイとは沖縄の言葉で魂のことである。人は死んでもマブイは残るとされる。「琉球新報」、「沖縄タイムス」の2紙の沖縄戦継承報道は、民衆の視点にこだわり、このマブイにも似た執念の取り組みを続けている。本書は「琉球新報」が戦後60年の節目に企画展開した「沖縄戦新聞」を素材にしながら、沖縄2紙の社会面、文化面の沖縄戦関連連載や特集にも分析の目を広げた紙面史と記者の営為もたどって整理し、「沖縄戦新聞」展開当時にとどまらない沖縄の継承ジャーナリズムの今日的な意味を提示することを目標とした。

記者も当事者

「沖縄戦新聞」が展開中のころ、私は「毎日新聞」東京本社編集局次長の立場で戦後60年企画の総キャップ役を担っていた。各社とも還暦を迎えた戦後の節目報道に力を入れていたが、「沖縄戦新聞」は、その史観、展開力で群を抜き、企画終了後、新聞協会賞を得た。

この「新聞」は2004年7月から翌年9月までの間、14号にわたって発行され、「琉球新報」に包み込まれて読者に届けられた。ブランケット判4ページ(「慰霊の日」の6月23日版は8ページ)で「サイパン陥落」から「南西諸島の日本軍降伏」までの1年2カ月の時空間で沖縄戦をとらえ、戦後生まれの記者たちが「今の情報と視点」で徹底的に住民の側に寄り添った内容だった。1面社告は毎号、戦意高揚に加担した新聞の負の歴史を自らも背負っていることを言明して先人の責任を引き受けた。最終号の社告では、この想いを「戦争のために再びペンを執ることはない」とする読者への誓いにまで昇華させた。

こんな企画がなぜ生まれたのか。いつか機会があれば調べてみたいと思ってきた。那覇支局で勤務したことはないが、沖縄戦の最中に離島で起きた「戦争マラリア事件」について本にまとめたことがある。沖縄とこうした多少の縁があって、組織を退いた3年前、沖縄に転居して大学院に入学した。戦跡を訪ね歩く旅も始めた。

この小さな旅の出発の朝、私は必ず「沖縄戦新聞」に目を通す。沖縄戦を「慰霊の季節」に限定されないスケールでとらえる視点で再現し、同時に、沖縄戦当時の記者が戦争を止められなかったことを深く反省する文面を紙面に掲載し続けた不思議な「新聞」。

取材班は19人。うち16年現在の在籍者16人全員にアンケートし、面談して取り組みの感想も聴いた。全員が継承報道のありかたについて自問自答しており、聴き取ってまとめる記者の作業に、いっそうの意味を持たせようとしていた。一言で言えば、「私たちはなんのためにこの戦争を描くのか」という、戦争非体験者である自らへの根源的な問いかけである。その集約された答えが、読者への誓いにつながったのであろう。

内省する記者の姿を本書では「負の歴史を背負いつつ〜『戦後60年』の記者たちの沖縄戦」として章を設けて分析し、記者自身が「人ごと」ではなく、継承の当事者のように「自分ごと」として沖縄戦をとらえようとしていたことを確認した。

書く側の内面の動きに言及したことについて、沖縄女性史家の宮城晴美さんは、「琉球新報」（18年12月23日付）の書評で、「『沖縄戦新聞』に精魂を傾けた『非体験者』

としての記者たちの〝魂〟に迫り、『二度と戦争のためにペンを執らない』という覚悟と決意を獲得していく過程は、真摯に読者に向かい合おうとする記者たちの気迫さえ感じさせる」「同じジャーナリストとして、実直なまでに沖縄の記者たちに学ぼうとする著者の心象は行間に深く刻まれ」ている、と論評した。

「フリー」の力

「沖縄戦新聞」の記者たちは、思想――状況に向き合ったとき湧き起こってくる思念の塊――とも呼べる強い信念を身につけていた。生前、沖縄大学で沖縄近現代思想史を講じ、沖縄戦の記憶継承のありようについての論考を重ねた屋嘉比収（1957－2010年）は、「沖縄戦新聞」を「お伽話のような位置から現実をとらえ返す」ことを試みたとし、反戦へと昇華していく記者の心を「理想への執念」と評価した。では、これは、この取材班だけの特殊事例なのだろうか。

アンケートを整理し、インタビューを重ねるなかで、社会部に「フリー」という担当分野があることを知った。記者クラブに属さない「フリー」な立場。本土では「遊軍」と呼ばれる。しかし、戦後新たな装いで出発した「琉球新報」も、戦後3年目に創刊した「沖縄タイムス」も、こうした記者グループは軍隊組織に由来する「遊軍」ではなく、あくまで「フリー」なのだ。その起源は戦後、米軍占領と対峙するなかで「いつの間にか」である。

これは私には、些細なこととは思えない。軍隊に関係する思考を持ち込まない決意と環境が、目線を読者と同じ地平に置いた「自由（フリー）な言論」を心に期すきっかけとして作用しているように感じられる。沖縄戦では「軍隊は住民を守らなかった」という民衆知や、新聞も軍の側に立った史実が刻印されている。戦後の27年間の米軍による占領期、新聞は戦前・戦中と同じように言論統制の下に置かれたが、住民と共にしばしば米軍に抗った。こうした歴史によって生まれたモラルが強い意志を伴った「フリー」につながったのであろう。であれば、「沖縄戦新聞」に託した記者たちの理念は、戦後60年の時代のみに限定されるものではない。それは、今日にも不可欠な言論の力に通じるものである。ヘイトやフェイクを含む理不尽な言説を打ち返す、「自由（フリー）な言論」の力である。

ヘイト、フェイクを質す

ヘイトとフェイクの共通の特徴は、歴史への無知、その無知を恥じることなく居直る無恥、他者への想像力の欠如だ。多くが匿名で、弱い者に寄り添う姿勢を冷笑し、強者の論理に身を置いた言説を無責任にネットを主舞台に流している。

こうした現状を踏まえて沖縄戦の継承報道を調べるうち、新聞記者の「任務」とは、戦争に加担せず、強者によって戦争への動きが加速させられようとする状況には厳しく対峙し、ヘイトやフェイクを排して弱者の立場から責任を持って発信することにあると確信した。

「沖縄戦新聞」の後継企画ともいうべき企画連載「未来に伝える沖縄戦」（11年9月開始、現在も継続中）に加わった後輩記者（面談時、29歳）の行動と心象は、受け継がれた「ヘイトとの闘い」を垣間見せる。

記者は16年8月20日、米軍のヘリコプター着陸帯工事が続いていた高江地区で抗議の人たちを取材中、機動隊員による人垣と車両との間に閉じ込められた（「沖縄タイムス」の記者も同様の仕打ちを受けた）。デスクに事態を報告し、「悔しいです」と添えた。デスクは「その悔しさを記事にして伝えよう」と応じた。圧力を加えられた記者個人の一時的な感情では、もちろん、ない。１５０人の小さな村に動員された機動隊員５００人（沖縄住民を「土人」と蔑んだ本土から派遣の隊員もいた）の圧力。背後にある政府の強権姿勢。戦前の差別から続く本土の沖縄へのヘイトの究極の形として、戦後も基地の過重負担を強いる「構造的差別」に、記者は強者に抗した「自由（フリー）な言論」を強く意識しキーボードを叩いた。

「フェイクとの闘い」については、取材班キャップ（面談時、53歳）は「沖縄戦新聞」で体得した力を信じている。「誤解・曲解はただちに打ち返す。沖縄戦報道をやり続ける」。

無視せず、関心を持ち続け、忘れない。これが、記憶を継承するジャーナリズムの真価を引き出す力であり、「沖縄戦新聞」は今も色あせない戦争遺産としてそれを証明している。

（『新聞研究』２０１９年４月号）

新聞記者が過去から学んで現実をとらえる試みに精力を注いでいる間、東京の小学生たちも長期間の学習を重ねることで沖縄の過去への想像力を膨らませ、現実を直視する目を養っていた。こうした小さな積み重ねこそが強靭な力に変わっていくのではないか。

和光小の沖縄学びの旅

今年（２０１６年）も和光小学校（東京都世田谷区）の６年生がやって来た。沖縄を知り、沖縄に学ぶ「学習旅行」を続けて、ちょうど30年になる。55人の子どもたちは本島南部の戦跡を巡った。辺野古では国が埋め立てを計画する「ジュゴンの海」を眺め、新基地建設がどれだけ環境を壊すかも実感した。10月末から今月初めにかけて３泊４日の旅行の３日目、座間味島での学習に同行した。

島に向かう途中の高速艇で、北山ひと美校長の説明を受ける。

１学期は総合学習の時間に自然など沖縄の魅力を学び、沖縄料理をつくったり、シーサーづくりにも挑戦する。２学期は沖縄戦について勉強し、「学習旅行」の準備が本格化する。旅行後は６年生が作成した「平和学習ノート」をもとに５年生に１対１で沖縄体験を伝える。「〇〇さんへ」とした自筆のメッセージを手渡し、受け取った５年生がノートの１ページ目に貼り、翌年には自分が参加する「学習旅行」の手引にする。旅行の成果は、父母にも報告する。これが毎年繰り返され、次の学年にリレーされていく。子どもたちが自ら考える習慣を身につけ、これを引き継ぐ。沖縄への理解が代を継いで共有の財産になる。

一行は事前に那覇市内の宿泊先で沖縄女性史家、宮城晴美さん（67）から座間味島で戦時中に起きた住民の集団死の惨状について説明を受けてきた。そして臨んだ座間味島の公民館での交流会。平田文雄さん（87）、文子さん（84）夫婦が重い口を開く。

「沖縄戦前年の10・10空襲当時は農林学校の生徒で、那覇にいました。その後、座間味に戻りました。駐屯していた日本兵からはスパイのように見られていました」（文雄さん）。「（戦後しばらくして）母と姉が食糧を探すために入った壕で、島の人が集団で亡くなっていました。遺体を誤って踏んでしまうと、ピシッという音がしたそうです」（文子さん）。耳にするのもつらい話に、しかし、子どもたちは懸命にメモを取る。

「戦争は、人間の心を壊すものです」と文雄さんは証言を締めくくった。文子さんは感情が揺れるのか、話があちこちに飛ぶ。最後は「てぃんさぐの花」を歌って区切りをつけた。子どもたちは「戦争をする国ではない国であってほしいと思いました」と感想を述べ、「命どぅ宝」の斉唱を贈った。

つながっていく沖縄

引率の女性教諭、斉藤かいとさん（31）は97年、この旅行に参加し、戦火を生き残った元梯梧学徒隊員の言葉を聞いた。「皆さんに心のバトンを渡しますからね」。二度と戦争に巻き込まれたくないという思いのこもった証言を、小学生だった斉藤さんは胸に刻む。そして、誓った。必ず引き継ぎます。必ず伝えます。自らへの約束を果たすため、迷わず母校の教師を職に選んだ。そして今年、沖縄への旅を続ける6年生を担任することになる。「沖縄からは、学ぶことの大切さを学ばせてもらっています。バトンを受け取ったんですから」。

子どもたちはその後、連絡船の発着場でエイサーを踊り、カチャーシーを舞った。指揮を執るのは斉藤さん。証言した文子さんも駆けつけて、去って行く一行を見送った。

和光小学校の「学習旅行」は、沖縄の人びとを無視せず、沖縄の現実に関心を持ち続け、その歴史を忘れないでおく試みだ。小さく、ささやかな旅かもしれない。

沖縄戦体験者の証言に耳を傾ける和光小学校の子どもたち（座間味島、2016年10月31日）

しかし、その長期にわたる準備と実際に足を運んで確認してきた積み重ねが連鎖して、豊かな人の心を育んでいくに違いない。

私たちが目にする現実は、歴史の積み重ねから成り立つ。いまを生きる私たちを包み込んでいる構造は、過去の行為によって形づくられた歴史の産物だ。まず知ろうとする。そこに、歴史への想像力が膨らみ、現実がよりいっそう色濃く見えてくる。過去への真摯さと、伝えていこうとする努力が、現実と未来を見据える力になる。大阪府警の機動隊員が高江で発した差別的言辞は、こうした意識が組織的にも全く欠落していたことによるものだ。

小学生と、これに応え続けてきた沖縄の人びととの交流を垣間見て、つながることでつくられていく人間の尊厳をあらためて感じ取る。

（２０１６年11月7日付「琉球新報」朝刊）

東京の小学生が沖縄で何かをつかむことができるのは、沖縄そのものが強く、しなやかなメッセージを持ち続けているためだ。その象徴のひとりである阿波根昌鴻さんの心を知るために、私は何度も伊江島を訪れた。

伊江島　民の言葉

木立の上をオスプレイが飛んでいく。本部港に向かうフェリーが伊江島から出て間もなくのことだった。「最近、増えましたよ。高江から飛来しているんでしょう」。やんばるの戦史研究家、川満彰さん（56）は悔しそうに機影に目を移した。

11月下旬、川満さんの案内で伊江島を巡った。報道写真家、嬉野京子さん（76）と共にこの島での戦争と戦後史を学ぶツアーだ。嬉野さんは1960年代以降、沖縄にこだわり続け、宜野座で女児が米兵の運転するトラックにはねられ命を落とした現場をとらえた写真は、当時の沖縄が置かれていた状況を今に伝える。伊江島にも何度も足を運んでいる。

伊江島は戦時でも、戦後でも「沖縄の縮図」と言われる。

沖縄戦が始まる直前の1945年3月初め、島民を総動員して飛行場が完成した。ところが、戦況の悪化で日本軍の航空機利用が不可能になり、逆に米軍に奪い取られる恐れが出てきたため、完成直後、取り壊し命令が下される。米軍の上陸必至とみた島民からは疎開希望が急増する。しかし、軍の舟艇には限りがあり、また、島を離れることで卑怯者呼ばわりされるのではという心理的圧力も加わって多くの島民は島にとどまった。

島民約４０００人、将兵約２５００人が残った島に4月16日、米軍が上陸。「乳飲み子を背負って（女性が）斬り込んできた」と米兵が証言するほどの白兵戦となり、６日間の激闘で島民１５００人以上、日本軍２０００人以上が亡くなった。

その後、米軍は新たな飛行場を建設するため、島民を沖縄本島の大浦崎収容所（現・キャンプシュワブ内）や渡嘉敷島に移動させる。戦争終結から2年後になってようやく、島に帰ることを許したが、そこは農地を勝手に取り上げられ、「米軍基地の島」と化していた。１９５０年代、さらに土地の強制収用を進める米軍に、島の農民が非暴力の闘いで抗った。阿波根昌鴻さん（２００２年、１０１歳で死去）が中心になった抵抗運動は、その窮状を訴えるために沖縄本島で「乞食行進」さえも行った。「乞食をするのは恥ずかしい。しかし、乞食をさせる米軍はもっと恥ずかしい」。創意工夫をこらした闘いで、当初60％を超えていた米軍基地の面積は30％台に縮小した。

人間がつくる平和を

米軍との交渉に臨む際、農民たちは次の「陳情規定」を自らに課した（原文のまま）。

一、米軍と話をする時はなるべく大勢の中で何も持たないで座って話すこと
一、決して短気をおこしたり、相手の悪口を言わないこと
一、うそいつわりのことを言わないこと
一、布令布告によらず道理と誠意をもって話す
一、沖縄人同志は如何なることがあっても決してケンカをしないこと
一、私たちは挑発に乗らないためこんごも常にこの規定を守りませう

1954年10月に書かれたこの言葉は、抵抗運動の拠点となった島内の「団結道場」に今も残る。「道理」と「誠意」を唯一の頼りに、圧倒的な力を持つ米軍に対峙した。人としての誇りが行間から伝わってくる。

阿波根さんがつくった反戦平和資料館「ヌチドゥタカラの家」で、館長の謝花悦子さん(78)の話に耳を傾けた。

「戦争は人災です。天災ではありません。だからこそ、人間が平和をつくらなければ」「阿波根は言い残しました。平和の武器は、学習です」「子々孫々まで、戦争をさせないと思い続けることが大切なのではありませんか」……話は1時間以上に及んだ。

部屋の壁には、語りかけてくるような阿波根さんの遺影と、生前の言葉が掲げてある。

「みんなが反対すれば戦争はやめさせられる」「平和の最大の敵は無関心である」「戦争の最大の友も無関心である」

今、米軍伊江島補助飛行場周辺で騒音発生が激化している。８月からは強襲揚陸艦の甲板を模した着陸帯「ＬＨＤデッキ」の拡張工事が進む。高江のヘリパッド建設と連動している。こんなときに接した重い言葉の束。柔らかに、しかし、迷うことなく、私たちに響いてくる。

（２０１６年12月４日付「琉球新報」朝刊）

阿波根昌鴻さんの精神を語る謝花悦子さん（右手前、2017年8月9日）

沖縄に移住してすぐに、佐喜眞美術館（宜野湾市）を訪れた。以来、多いときで月に2～3回。私に会いに来てくれる友人、知人を必ず案内する場所のひとつになった。

美術館の四半世紀――戦争と対峙し続ける

丸木位里・俊夫妻の共同制作「沖縄戦の図」を常設展示する佐喜眞美術館（宜野湾市）の館長、佐喜眞道夫さん（71）にとって、2月は特別な月だ。（掲載された2017年から数えて）ちょうど25年前のこの月、米軍普天間飛行場に組み込まれた自らの土地を取り戻した。小さなパンフレットの「美術館のあゆみ」に「1992年　米軍普天間基地から1801平方メートルの土地を返還させる」とある。その2年後に開館する美術館にとって、転機になった年であり、月でもある。

先祖伝来の土地は戦後、米軍に接収され、佐喜眞さんは当時、軍用地主の立場だった。現在は美術館となっている敷地は、フェンス沿いの向こう、つまり飛行場用地の中にあった。

ここを取り戻す。そして「沖縄戦の図」が入る美術館を建てる。強い思いで防衛施設局に出向いたのが89年。しかし、手続きは一向に進まなかった。進捗状況を何度確認しても「米軍が渋っている」の答えが返ってくるだけ。申請して2年が経とうとするころ、業を煮やして「話はどこまで行っているのか」と尋ねた。「東京との連絡会議にかけるところ」という返事だった。唖然とし、あきれてしまった。入り口を少し入った程度しか、進んでいない。

交渉相手を変えよう。紹介してくれる人がいて、在沖米国海兵隊基地不動産管理事務所の所長に会った。「その構想は素晴らしい。我々に問題はありません」と拍子抜けするほどの即断即決。手続きに壁をつくっていたのは日本側だった。その後も妨害に等しい対応もあったが、所長の快諾から1年後、ついに念願の返還にこぎつける。

この間、日本側の窓口の課長は「われわれ日本政府は沖縄を屈服させた。沖縄の人間に反抗する者などいないはずだ」と差別感を隠さなかった。それでも負けてたまるか。突き動かし続けたのは、丸木夫妻の沖縄に寄せる思いだった。そして、これに応えようとする自身の記憶も重なった。

沖縄出身の両親のもと、佐喜眞さんは沖縄戦の翌年、熊本県で生まれた。9歳の夏休み、両親に連れられ里帰りしたのが、初めての沖縄だった。アイゼンハワー・

米国大統領が沖縄の無期限管理を表明した年のことだ。基地建設に拍車がかかり、米軍のトラックが行き交っている。激しい戦闘で根絶やしにされたのか、木はほとんどない。海岸の岩も、あちこちで崩れたままになっていた。このとき見た「古里・沖縄」の無残な姿を胸に刻んだ。沖縄戦の体験こそないが、以後、緑豊かな緑陰を沖縄につくりたいと漠然と思うようになる。平和への目覚めだった。

長じて絵画収集を始め、丸木夫妻が「沖縄戦の図」に取りかかっていたことを知る。「原爆の図」、「アウシュビッツの図」などで著名な夫妻が、沖縄戦を描いている。佐喜眞さんは興奮した。83年、東京で夫妻の講演会があった。俊さんが壇上から問いかけた。「この中に沖縄の人はいらっしゃいますか」。何人かが手を挙げ、その中に佐喜眞さんもいた。すると、俊さんは深々と頭を下げて、こう言った。

来館者に丁寧に説明する佐喜眞道夫館長（2019年8月26日）

「日本人は戦争で沖縄の人を盾にしました。その後もひどいことばかりしています。申し訳ありません」

水墨画家の位里さんは広島県、絵本を手がけた画家の俊さんは北海道の生まれ。ともに沖縄に縁がない。しかし、「日本人は戦争のことを空襲のことだと思いがちで、戦争の本質を知らない。こういう国はまた戦争をするかもしれない。だから、地上戦を体験した沖縄の人に教えてもらう必要がある」。後に交流を深めた夫妻から直接、佐喜眞さんはこんな言葉を聞いている。

「沖縄戦の図」は縦4メートル、横8・5メートル。夫妻は沖縄戦に関する膨大な著作を読み込み、何人もの研究者、体験者の話にも耳を傾けて描き上げた。84年に完成したこの大作は、しかし、沖縄の公的施設に引き取られることはなかった。自分が美術館をつくって展示するしかない。佐喜眞さんの奮闘は、この決意から始まった。

今、佐喜眞さんはこの絵の前で来館者に向かって話しかける。すでに世を去った丸木夫妻の思いが乗り移っているようだ。戦争の真実に震え上がります。同時に、戦争と対峙する勇気を思わないではいられません――。

（2017年2月19日付「琉球新報」朝刊）

２０１９年11月23日、佐喜眞美術館は開館25周年を迎えた。１カ月前の10月15日には来館者が１００万人を超えている。

美術館は「言葉を超えた証言者」として、その存在意義を発信し続けている。

Ⅲ　これから——抗い、つながり、歩く……

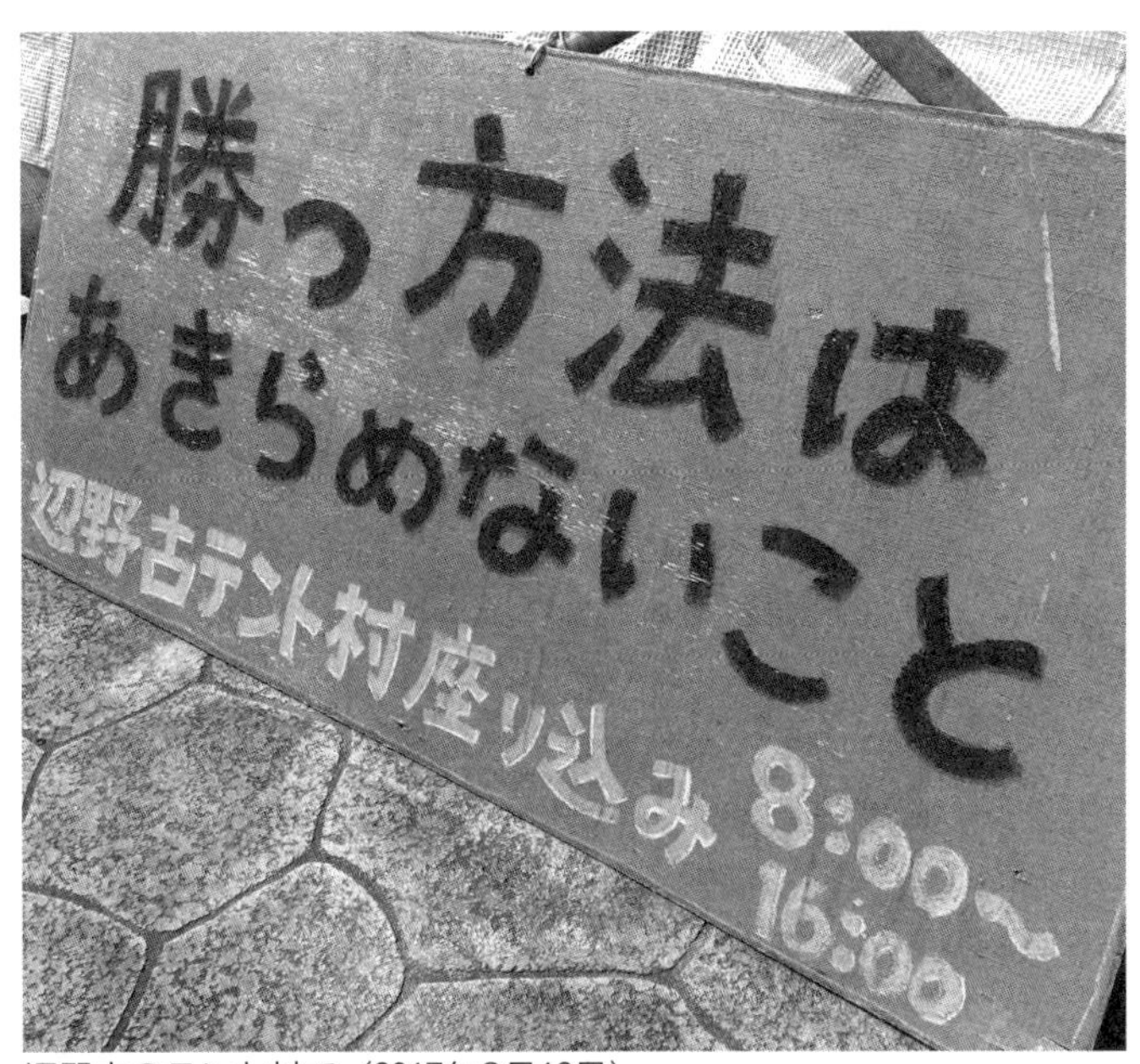

辺野古のテント村で（2017年2月13日）

「沖縄には沖縄の民主主義があり、しかし、国には国の民主主義がある。それぞれに民意に対して責任を負っている」。

２０１９年２月、辺野古新基地建設に伴う埋め立ての賛否を問う沖縄県民投票で「反対」が多数を占めた結果について、岩屋毅防衛大臣が記者会見でこう述べた。二通りの民主主義というあきれる説明。さすがに後に「(沖縄と日本の民主主義は)全く同じだと思う」と釈明したが、この間、内閣を束ねる安倍晋三首相から防衛相に対し特段の「注意」はなされなかった。

差別を「する側」は、「される側」の感情を逆なですることに鈍感である。配慮もしない。自らを恥じ、反省することもない。その典型が、この発言であり、首相の「他人ごと」のような姿勢だ。

沖縄・高江で２０１６年、大阪から動員されてきた大阪府警の機動隊員が「土人」という耳を疑う差別用語をヘリパッド建設に抗議する住民に投げつけた。すぐに任務は解かれたが、大阪府知事も沖縄担当大臣も機動隊員の行動を擁護するだけで、沖縄住民には何のメッセージも送らなかった。

今どき、大阪のヤクザでも口にしない暴言が20歳代後半の若い機動隊員からなぜ出てくるのか。植民者が植民地で現地の人を侮蔑してあざ笑ったのと同じ構図が、21世紀の沖縄で露骨に現れたのだ。発話者と発話を許した「文化」に、私は慄然として血の気が引いた。

高江での強権発動

「銃剣とブルドーザー」を思い起こさせるほどの、圧倒的な強権の発動である。人口150人足らずの高江とその周辺地区に、本土からの派遣を含む機動隊員500人。道路を封鎖し、検問し、もの言う人びとを威圧する。なぜこうしているのか。説明はない。見えてくるのは、民意を無視して「やれることはすべてやる」という国の意思だけだ。

東村高江で、いま、行われているのは、人びとの思いへの想像力を欠いた、むき出し力の行使に他ならない。

「これは沖縄への差別ですよ」。

高江に向かう前、名護市で友利哲夫さん（83）の話に耳を傾けた。

友利さんは本部高校の教諭時代、ヤンバルクイナを「発見」、新種として確認することに貢献した人だ。あれからちょうど35年になる。その後、ヤンバルの森を歩き続け、高江でもヤンバルクイナを確認した。別の場所で、カブトムシと思われていたヤンバルテナガコガネも「発見」している。ヤンバルの森を最もよく知る人のひとりだ。

実直な生物研究者として生き、高校を定年退職後は本部町立博物館でヤンバルの動物、沖縄の自然の素晴らしさを世に出す仕事を続けた。博物館の仕事を終えた後は、本部半島の戦跡を案内しながら、平和の尊さ、戦争の醜さを次世代に伝えることに汗をかいている。

ヤンバルクイナの話から、今回の高江に対する国の振る舞いについて話題を移したときである。友利さんの声のトーンが変わった。

台湾にあった日本人学校に籍を置いていた戦前の小学生時代、本土出身の教師から「琉球人」とあしざまな言葉を投げつけられた。日本復帰前、復帰への連帯を求めて訪れた本土で沖縄に対する侮蔑的なことばも聞いた。

沖縄に圧力を加え続ける政権の沖縄北方担当大臣を落選させるほどまでの沖縄の強い民意が示された今月の参院選。その翌日、有無を言わせぬ形でヘリパッド建設に向けた資材搬入が始まった。説明よりも強権で押し切ろうとする国の姿勢に、友利さんは、こうした個人的な体験を改めて想起し、「沖縄への差別」を強く意識する。「ヤンバルの森は、生物の宝庫。今でも『未発見』の動物が生息している可能性があります。古老から聞いていた『ヤママヤー』と呼ばれるネコの一種も、新種かもしれない。神秘の森なんです。ヤンバルの森は」。

ヘリパッドにオスプレイが低空で飛来したとき、高江周辺の住民に健康被害をもたらすのはもちろん、「神秘の森」に太古の時代から生息する動物たちにも異変を生じさせかねない。そこに暮らす人びとへの配慮、自然への畏敬という、人としての謙虚さがいま、高江から見える国にはきわめて乏しい。

高江の米軍北部訓練場N1ゲート前。片側1車線の狭い道路の一方に沖縄防衛局職員、機動隊員、警備会社のガードマンが立ち、もう一方に市民たちが、日除けのシートの下に座る。私が訪れたのは日曜日（24日）で、搬入作業休止で前々日、前日よりは双方とも人数は減っていた。

日曜日とあって、地元住民以外の参加者もいた。那覇市の男性会社員（41）は、「オール沖縄に投票するだけでなく、その意思を形にするために来た。ここにいる人たちは非暴力で、歌も歌い、ユーモアもある。負けないと感じた」。東京から駆けつけた主婦（33）は「辺野古に比べて、ここは少ない人数でがんばっていると聞いたので、人数の付け足しになれば、と」。今帰仁村から来た農業男性（76）と並んで「ノーオスプレイ」の手製プラカードを掲げ続けた。

ヘリパッドはオスプレイの運用を前提とする。政府がそれを認めたのは、4年前。北部訓練場（総面積約7800ヘクタール）の半分の返還の見返りとして位置づけられたヘリパッドの、こうした運用計画の実態はそれまで長い間、公表されずにきた。住民は驚き、以後、異議を唱える声は高まった。

那覇市から名護市を経由して高江まで、車で3時間以上もかかる。遠隔地の意思表示はなかなか届きにくい。しかし、インターネットを通じて情報が瞬時に伝わる時代でもある。地元住民以外の参加者は多様なメディアを活用して高江の苦悩をリアルタイムで知ることができる。

地元住民からすれば、明らかな基地機能の強化だ。辺野古新基地をめぐる問題にも重なる。このままでは、すべてが国に押し切られてしまう。高江を孤立させてはならない。沖縄の民意はすでに示されているのだ。この思いの積み重ねが、支援の輪として広がり、具体的行動も促して、国の圧力に抗う力につながり始めている。

強権の危険性を他人ごとではなく、自分ごととして受け止めるかどうか。高江は、大きな問いを発している。

（2016年7月26日付「琉球新報」朝刊）

日米安保条約にかかわる訴訟では、「現状追認」が通り相場になっている。国の安全保障の根幹にかかわるとする問題については司法は判断しない（統治行為論）し、嘉手納飛行場や普天間飛行場の周辺住民が提起した「爆音訴訟」についても「米軍は、住民（原告）と日本国（被告）に関係のない第三者」とする論理（第三者行為論）で、飛行差し止めに踏み込まない。司法はどちら側を向いているか。沖縄では、よくわかる。

国土面積の0・6％にすぎない沖縄に米軍専用施設の70％が押しつけられている。こうした表現は漠とし過ぎて、等身大の自分ごととしてとらえにくいという人がいる。私は次のように説明することにしている。

沖縄では住民ひとり当たりの米軍専用施設の面積が129平方メートル。畳の70畳分強にあたる。沖縄以外の46都道府県では、ひとり当たりは1畳の3分の1（0・62平方メートル）にすぎない。210対1。不平等、不公正以外の言葉があるか。

生半可な知識で「沖縄は地政学上、基地を引き受けるべき」という声がある。では、東アジアのホットスポットである朝鮮半島、台湾海峡には沖縄よりも（小規模だが、米軍基地のある）佐世保の方が近いという事実を、どう説明するのか。しかも、沖縄の海兵隊を戦地に運ぶ強襲揚陸艦は佐世保に置かれているのだ。

辺野古訴訟　県の上告

（2016年9月の）連休（17日〜19日）の間、ひめゆり学徒隊の跡をたどり、普天間飛行場、嘉手納基地、辺野古を巡った。

この旅程の前日、私は福岡高裁那覇支部前の城岳公園に立ち、辺野古の新基地建設を巡る「辺野古違法確認訴訟」の判決言い渡しを待った。公園は、この裁判に関心を寄せる人たちであふれている。「裁判長の矜持と良識を信じて中立公正な判決を期待しよう」という手製のプラカードも見える。午後2時半前、もたらされた一報は、県側の敗訴。プラカードは「不当判決」に変わった。

翌早朝、新聞に掲載された判決文（要旨）を繰り返し読んだ。多くの識者が指摘するような問題点に加え、私が感じたのは、県側が主張した基地の歴史的経緯についての想像力が、この判決文には極めて乏しいことである。沖縄の歴史に思いをはせるとき、沖縄戦とその後の辛苦の歩みを強いられた県民がつくりあげた民意への配慮と敬意が行間に見えなければならないはずなのに、それが読み取れない。「矜持と良識」がうかがえない。歴史への真摯さが欠落している、とも思う。

短い旅を、大阪・豊中市の教員グループ10人を案内して南部から始めた。

糸満市のひめゆり平和祈念資料館。沖縄戦当時17歳で、終戦も知らず８月22日まで戦場を逃げまどった元学徒隊の証言員、仲里正子さんは立ったままで１時間、体験した戦争のむごさを語り続けた。「今は憲法もあって戦争をしない国になったのよ。亡くなった同級生に天国で会ったら、そんな話をしてあげたい」

南城市のアブチラガマ。ひめゆり学徒の一部が配属され、負傷兵と住民が８月までこもった。漆黒の闇のガマの中をガイドしてくれた當山菊子さん（62）の母親は17歳のとき、このガマにいた。「母が話してくれた戦争の実相を伝えるために、私はここで語り続けます」

ひめゆり学徒隊が最初に配属された南風原町の陸軍病院。その跡も回った。案内した教員グループは、次第に言葉が少なくなった。10人のうち、９人は沖縄を旅したことがあったが、これまでは、まる１日をかけてひめゆり学徒隊の足跡を追うことに集中したことはなかった。「次世代に平和を託そうとするひめゆりの人たちの思いを、教師として胸に刻まなければ。そして、本気で子どもたちに伝えなければ」と、ただひとり、沖縄訪問が初めての山田玲子さん（28）は話した。

沖縄戦の記憶は、継承活動が続く限り、過去に閉じ込められることはない。戦争を起こさせない。その決意こそ、沖縄の戦後史の出発点であったろう。

見たい沖縄への想像力

旅の2日目、宜野湾市の佐喜眞美術館。丸木位里・俊夫妻の描いた「沖縄戦の図」の前で、佐喜眞道夫館長（70）は修学旅行生に語るような口調で「この絵には、兵士は一人も描かれていませんね。戦争でひどい目にあう、お年寄り、女性、子どもたちを描いています。戦争を理解するには、事実関係の知識を持つことと同時に、想像力が必要です」と強調した。

この後、美術館に隣接する普天間飛行場、嘉手納飛行場を視察し、辺野古に足を運んだ。長野県から新基地反対の抗議に来た男性（59）はキャンプ・シュワブのゲート前で「これは沖縄だけに押しつける問題ではないと思う。国全体の問題。だから、手弁当で駆けつけた。ここに来られない人でも、それぞれの場で工夫しながら意思表示を」旅を終え、もう一度、判決文を読み返す。基地という現実に、司法がどう向き合ったのか。

私たちの目の前の現実は、過去の積み重ねから成り立っている。見えない過去は、記憶によって今に照らし出される。沖縄では、基地があるが故の犯罪、事件、事故が繰り返されるたびに、沖縄戦の記憶が70年の時空を超えて連鎖する。その歴史体験への認識を深め、分かち合って共有しようとする心と想像力が、県が上告予定の最高裁の判決に、今度こそ反映されるかどうか。ぜひ、見なければならない。

（２０１６年９月26日付「琉球新報」朝刊）

三権の一角を占める司法への私の信頼は近年、甚だしく下落している。「正義の味方」に類する温情ある判断はほとんど見られない。解釈改憲し、また、「お友だち」への便宜を図ったとして追及を受けるような法の運用が指摘される現政権を忖度する司法であれば、なおさらのことである。案の定、最高裁は２０１６年12月、沖縄県のこの上告について口頭弁論を開くことなく棄却した。辺野古の埋め立て工事に向けた準備の道を開い

たことになる。期待した「戦争への想像力」など歯牙にもかけなかった。

しかし、政府に対するこうした「司法の忖度」にほころびが見え始めてきた。

防衛省は２０１９年12月25日、辺野古の新基地建設の総工費を９３００億円、完成までの期間を約12年とする試算を示した。

大浦湾側に広がる軟弱地盤への対応で、総工費は２０１４年に明示した３５００億円の約２・７倍になり、22年度以降とした普天間飛行場の返還時期は30年代以降にまでずれ込むことが確実になった。

沖縄防衛局によると、辺野古沖の海を埋め立てて普天間飛行場の代替地とする「移設」のために投じた予算はすでに１４７１億円。現時点で投入した土砂は埋め立て区域全体の１％程度に過ぎないにもかかわらず、当初に示した３５００億円の３分の１以上を使っている。これから以後、大規模な地盤改良工事が始まるというのに、９３００億円でとどまるとは到底考えられない。

沖縄県は独自の試算で総工費２兆６５００億円、工期は13年以上として、普天間の危険性除去について新たな道を探る対話を政府に伝えている。つまり、防衛省の見積額は反発を避けるために数字を過小に示したとみた方が妥当といえる。

辺野古新基地に限らず、米軍基地は完成しても富を生み出す施設ではない。この工事に「防衛」を御旗にして膨大な税金を投入し続けているのが実態である。

こうした事実を積み重ねて政府の説明を精査してみる。果たして、辺野古の工事が終らなければ普天間飛行場の撤去はないとする政府の説明が正しいかどうか、極めてあやしくなってくる。「まず、辺野古ありき」の論理はほとんど破綻している。「まず、普天間（飛行場）の撤去ありき」にどうしてならないのか。普天間の海兵隊は抑止力たり得るのか。思考停止しない論議が必要だ。

こうした考えを空論にしないために、戦跡を歩きながら平和を考え、考えながら意志を強固にする人たちが沖縄に多いことに、私は安堵する。「沖縄戦を知るピースウォーキング」によく参加させてもらっているが、一緒に歩く人たちの表情に曇りがないことに気づく。歩いて確認できる史実は、まやかしで歴史や現実を曲げる側にまさるという確信があるからに違いない。

戦跡を歩く意味

那覇市・首里城近く。亜熱帯の樹林に覆われた斜面を下ると、坑道入り口が現れた。土嚢に囲まれ、丸太で補強されている。丸太の壁には「足もと注意」と「酸欠、有毒ガス注意」の看板。沖縄戦当時、日本軍の戦闘を指揮した第32軍の司令部壕の入り口だ。厳重に施錠してあり、中には入れない。

この近くで当時、住民がスパイの濡れ衣を着せられて惨殺された。「琉球新報」が92年、46回にわたって連載した「首里城地下の沖縄戦〜32軍司令部壕」の第7回「虐殺」がその詳細を伝えている。

（2017年3月の）連休の20日、「沖縄戦を知るピースウォーキング」に参加して首里城周辺を歩いた。司令部壕は、この地下にあった。深さは10〜35メートル。南北に400メートルの坑道を中心に縦横に広がっていた。総延長は1キロに及ぶ。1トン爆弾にも耐えた。総勢一千人の将兵、男子学徒隊、軍属、それに「慰安婦」を含む女性たちも雑居していた。

首里城内に、5年前に設置された説明板がある。読むと、「虐殺」「慰安婦」の記述はない。設置に際し、識者でつくる説明板設置検討委員会がこれを明記した文案を作成した。ところが、県は削除し、そのまま今に至っている。ガイドとして一緒に歩いた瀬戸隆博さん（48）がこの経緯を説明した。

瀬戸さんは神戸市生まれ。日本史を専攻する大学生だった89年、初めて訪れた沖縄で沖縄戦に関連するセミナーに参加して進むべき方向を決めた。卒業後、沖縄に移り住み、生協の戦跡ガイド講習を受けながら戦跡をめぐる。現在、恩納村誌編さん室に身を置き、「南風原平和ガイドの会」の会員でもある。「歩き、証言をその場で確認し、考え続ける日々」だ。

首里城地下にあった日本軍の司令部入口。崩落して中には入れない(2017年3月20日)

途中で、吉嶺全一さん（84）が証言者として案内役に加わった。首里出身で当時、国民学校6年生。地上戦が始まる前年の学童疎開で「対馬丸」に乗船するため那覇港に行ったものの、「首里の子は残された。乗っていたら、おそらく……」。「対馬丸」は出港後、米軍潜水艦に撃沈される。

「首里から見下ろす海に、ものすごい数の艦船がいた。最初、日本海軍かと勘違いして、勝てると信じた。すさまじい火焔と煙の中に日本の特攻隊が突っ込んでいくのも目撃した。米艦隊は潰滅しただろうと思ったのに、煙が消えると艦隊はそのまま。子ども心にも、これはあぶない、と感じ始めた」

吉嶺さんは戦後、沖縄戦に参加した元米兵とも交流する機会があった。

「その多くが、あの戦争のことは思い出したくないと言っていた。戦争は人間をビースト(野獣)にするんだと」

この言葉を引き取って、このウォーキングを企画した実行委員会の会長、垣花豊順さん(83)が言う。

「獣は獲物を得たら、必要以上に襲わない。人間は無限に襲う。人間の意識は無限大に広がる。その心の持ち方次第で、平和にも広がり、戦争にも広がる」

垣花さんはかつて琉球大学で法律を講じ、今は弁護士。常に冷静に言葉を選んで論を運ぶが、ウォーキングの際のあいさつは「心」について話すことが多い。四国で遍路を重ね、思索を深めてきた。

「ともかく歩くんです。沖縄戦の辛苦の中で、当時の人はみんな歩きました。その気持ちを少しでも理解するために、歩くんです。そして、食事も摂りません。あの時は、みんなそうでしたから」と、会長を補佐する宮川光世さん(62)。今回で27回を数えるこのウォーキングに最初からかかわっている。

第1回は、7年前の3月26日。阿嘉島を歩いた。以後、年に数回の戦跡めぐりを続けている。そのスタートとなった「3月26日」は、沖縄戦で米軍が慶良間諸島に襲いかかった日でもある。阿嘉島はその中でも最も早い午前8時4分に上陸してきた。同じ日に慶留間島、座間味島、外地島、屋嘉比島、翌日は渡嘉敷島、久場島、安室島にも米兵が次々に姿を現した。地上戦が始まる。慶留間、座間味、渡嘉敷の島々で住民の「集団死」があった。4月には阿嘉島で老夫婦が日本軍に殺害された。

こうした沖縄戦の実相を、私も歩きながら学ぶ。証言を聴き、その現場を見る。体験者に成り代わることはできない。しかし、どんな言葉を選んでも形容しがたい沖縄戦で起きたことすべては、天災ではなく人災であった。そこに想像力が及んでいけば、体験者の心を共有し当事者として分かち合うことはできる。戦跡を歩くたび、人災としての戦争を起こさせないための自らの覚悟と行動を、胸に問う。

(2017年3月27日付「琉球新報」朝刊)

「沖縄戦を知るピースウォーキング」の旅は続く。

無言の空間への返答──微力だが、無力ではない

無言の空間に、戦場の音を聴いた。人間の声も混じっている。沖縄本島・西原町の戦没者刻銘碑に向き合ったとき、そんな錯覚に陥ってしまうほど、重い気持ちに襲われる。ここに刻み込まれているのは、5000人を超える地元住民の名前とその没年齢である。ゼロ歳の乳児から70歳を超える高齢者まで、字単位で家族ごとに並んでいる。ただし、○○の妻、○○の孫としか判明せず、年齢も記入されていない人もいる。当時の戸籍は焼失し、一家が全滅して家族の詳細がわからないケースもあるためだ。

(2018年4~5月の)大型連休に入り、「沖縄戦を知るピースウォーキング」に参加して西原町の戦跡を歩いた。実行委員会の会長、垣花豊順さん(84)は那覇市首里の自宅から出発点の西原町町民交流センターまでの6キロを歩いてやって来た。構内にある「平和憲法記念碑(9条の碑)」の前の出発式で垣花さんがあいさつした。

「現場を歩き、魂の声を聴きましょう。ひとりの力は小さいが、今日の体験を周囲に話すことで広げてください」

住民は国のために死んだのではない。戦争に巻きこまれ、理不尽な死を強いられたのだ。それを感じ、知って欲しい。戦争は二度と引き起こしてはならないと覚悟するひとりの力は微力でも、感じたことを話して同じ想いが広がっていけばそれは決して無力ではない。そう受け止め、炎天に歩を進めた。

西原町の戦争被害は凄まじい。1987年、住民の戦時体験をまとめた『西原町史第3巻資料編2西原の戦時記録』の中にある「字別戦争被災者状況一覧表」を読み込む。3年以上の時間をかけた聞き取り調査の結果を示す表に、住民の悲惨な姿が浮かび上がってくる。砲弾の音、住民の阿鼻叫喚の声が埋まっているようでもある。その数字――。

沖縄戦直前の世帯数2156戸、人口1万881人(男5170人、女5711人)のうち戦没したのは、5106人(男2528人、女2578人)。戦没率は46・9%で全住民の半数に近い。一家全滅世帯は476戸で、全戸数の22・1%。1人も戦没者を出さなかった353戸をしのぐ。両親など保護者を失った戦争孤児は481人もいた。これを字ごとにさらに詳しくみると、南部方面に避難した丘陵部や激戦地となった運玉森周辺の住民の戦没率は翁長地区の62・8%など軒並み50%

を超えている。北部への疎開者が多かった東海岸部の字は「戦没者が比較的少ない」とされているが、それでも戦没率は30％近くに達している。

数字にもとづいた解説は、こうである。

「各字の戦没者数や一家全滅率などからは、何の罪も責任もない一般住民、特に老幼婦女子が『戦争』に巻きこまれ、無残にも死んでいったことがわかる。我々はこの調査結果を生きた教材、教訓にして、二度と忌まわしい戦争が起こらないように、また起こさないように、恒久平和の確立に努力する義務があるのではないだろうか」

「西原の塔」が立つ敷地の入り口にある刻銘碑に着いた。２００３年に建立された碑の前で、当時、町長だった翁長正貞さん（79）が自身の体験を証言し、碑の意味を解説する。碑文に「御万人(うまんちゅ)ぬ命(いぬち)　奪いしや戦争(いくさ)　心(くくる)悲ししゃや　万代(まんで)までぃん」の歌を添えた翁長さんは戦没率55・９％のこの町の幸地地区で生まれた。祖父、父、

「西原の塔」には、戦没者の年齢も記してある（2018年4月29日）

兄の3人を失い、国民学校に入学したばかりの自身は南部の墓などに隠れながら逃げ惑った。幸いにも生き残り、沖縄戦のこうした体験を通じて学んだのは、戦争によって国民を守ることはできないということだ。碑文に刻み込まれたそんな想いを熱く語りかけてくる。

碑の前に「被爆アオギリ二世」が植えてある。被爆した広島市が選定した被爆樹木で、広島市の平和活動の一環として日本各地だけでなく、世界中に配布されている。沖縄戦と原爆。この空間が問いかけてくるのは、平和を希求する命がけのメッセージであるに違いない。それへの私(たち)の返答は、状況にたじろいで自らの無力を嘆いてみせることではない。微力でも戦争につながるもの一切を拒否し続けること、その輪を広げることにあるのではないか。

(2018年5月3日付「琉球新報」朝刊)

沖縄県平和祈念資料館友の会の平和ボランティア、仲村真さんとの旅はハードワークである。事前の呼びかけは、「体力の無い方は参加しないでください」と厳しい。沖縄戦の戦場で、体力十分な人などいたはずがない。食事も十分であるわけがない。

それを感じながら、炎天下、よほどの風雨でない限り、ひたすら歩く。

「牧港補給地区」沿いの森

仲村真さん(61)がつくった手製の資料は、46ページもあった。

表紙を開くと1ページ目に「事前準備：山歩きの服装、長袖、帽子、底の厚い靴、軍手、飲み水、軽食、懐中電灯、(あればヘルメット、杖)」の注意書き。「山道のない2キロの山歩き　体力のない方は参加しないで下さい」と添え書きもある。

今月(2017年4月)初め、「沖縄県平和祈念資料館友の会」の仲村さんがガイド役の「平和学習フィールドワーク」に参加した。歩いたのは、浦添市にある米軍基地「キャンプ・キンザー」(牧港補給地区)のフェンスに張り付くように伸びている森の中だ。すぐ横を国道58号が通り、道路沿いにホームセンターもある。

基地は約274ヘクタール。浦添市の面積の14・3%を占める。ベトナム戦争時は、「トイレットペーパーからミサイルまで」のあらゆる軍需物資をそろえた後方支援基地だった。今も食糧、日用品、各種装備の保管・補給機能を備えている。通信施設のほか、「思いやり予算」で建てられた高層マンション、数百人を収容できるというダンスホールのある劇場、学校もある。

基地と賑わう街にはさまれた森は今、訪れる人はほとんどいない。ゴツゴツした石灰岩の地層、森を流れるか細い川を亜熱帯の木々が覆いつくし、人間の立ち入りを拒んでいるようにも見える。この空間だけが、時間の歩みを止めている。

止まった時間に眠る「戦争」

ここは72年前の4月、日米両軍が死闘を繰り広げた激戦地のひとつだ。米国陸軍省戦史局がまとめた「OKINAWA：The Last Battle」を「琉球新報」の先輩記者、外間正四郎さん（故人）が翻訳、1960年から翌年にかけ166回にわたって連載した「沖縄戦・米陸軍の記録」（のちに『沖縄　日米最後の戦闘』として出版）にこうある。

キャンプ・キンザー横のジャングルのような戦跡を歩く（2017年4月18日）

「日本軍の抵抗戦の中心は、（地図上を精緻に区割りした米軍の攻撃目標）7777のI地区にあって、米軍は後でこの陣地を〝アイテム・ポケット〟と呼んだ。まったくこのポケット（山あい）は日本軍陣地の中枢部をなし、ここから大車輪の輻のように低い峰が四方に走り、谷ができ、水田があった」

そのポケットは今、森の中に眠っている。そして、低い峰―米軍が名付けた「ライアン丘陵」や「ポッター丘陵」など―は基地の敷地内にある。この激戦地に隣接していた旧城間集落も戦後、基地に飲み込まれた。

記録によれば、旧城間集落の当時の世帯総数278戸、1155人。うち36・8％にあたる425人が命を落とした。一家全滅世帯は55戸。死者を出さなかった世帯は77戸に過ぎない。

住民の多くは森の中や近くのガマに避難していた。当時12歳だった仲西冨士子さんもそのうちの一人だ。その証言で、森の日本軍は中国大陸から沖縄に移駐した際、軍馬も運び、住民が身を潜めていたガマの近くにつないでいたことがわかった。確かに、陣地壕跡からしばらく進むと、石灰岩を横に掘って小屋にした跡も残っている。

冨士子さんはその後、南部まで逃げたところで米軍に保護された。「あんな戦争は、二度としてはならないから」。今回のフィールドワークに証言者として加わり、途中で靴が破れても最後まで歩き通した。
今回の参加者は30人。小学生の姿も見えたが、平均年齢は60歳を超えている。気楽な道行きではなかった。水辺を滑らないように歩き、せり出した石や木々の枝を避けるために頭上にも注意する。腰をかがめて壕にも入る。それでも、足を運んでくる人たちがいる。冨士子さんのような体験者の話に耳を傾け、沖縄戦の実相に少しでも近づこうとする。「次世代に伝えなければ」。強い思いが、戦場だった森の歴史に想像の翼を広げ、この中でのたうち回った人びとの声を呼び起こさせるのだ。

戦争をおこすのは　たしかに　人間です
しかし　それ以上に
戦争を許さない努力のできるのも
私たち　人間　ではないでしょうか

仲村さん作成の資料の裏表紙に、資料館展示の結びのことばとしてつくられた詩のコピーがあった。無言の森は「戦争」を象徴する基地の横で、人間の「努力」を見つめている。

（2017年4月23日付「琉球新報」朝刊）

こうした戦跡巡りに加えて欠かせないのは、時間軸をたどる「歴史巡り」だ。そう感じたのが、戦後の米軍統治下で米軍に抗い続けた男、カメジローこと瀬長亀次郎（1907〜2001）の存在である。

遺品を展示する「不屈館」を訪ねると、その足跡の大きさがわかる。

「不屈館」の5年

ネーネーズの歌を聴く。ゆったりとした調べに乗せて何度も「あなたなら　どうする」と問いかけてくる。そして、結びのフレーズは決まっている。「おしえてよ亀次郎」——。この終わりの句をタイトルにした曲は、現代沖縄民謡の大御所のひとり、知名定男さんがつくった。

その資料を展示する「不屈館」（那覇市若狭）が今月、開館して5年を迎えた。開館直後は入館者ゼロの日もあったが、今は月に700人以上がやってくる。累計入館者は2万9千人近くを数え、間もなく3万人に達する。

「人気」に火を付けたのは、ドキュメンタリー映画「米軍が最も恐れた男　その名は、カメジロー」（佐古忠彦監督）の公開である。昨年、全国60カ所以上の映画館で公開され、沖縄では那覇市の桜坂劇場で8月以後、現在まで異例のロングラン上映が続いている。本土から来た友人を案内して私もこれまで3回、鑑賞したが、いずれもほぼ満席に近い入りだった。そのうちの何人かが観終ったあと劇場から直接、「不屈館」まで足を運ぶ。

カメジローは「うるま新報」（現在の「琉球新報」）の社長だった1947年、沖縄人民党結成に参画し、以後、一貫して米軍の圧政と戦い続けた。数知れぬ米軍の弾圧を跳ね返した政治家であり、雄弁家でもあった。映画でも紹介され、今でも聴く人の心を動かす名演説がある。新聞人であったためか、平易な言葉を選んでいる。

「この瀬長ひとり叫んだならば、50メートル先まで聞えます。ここに集まった人々が声をそろえて叫んだならば、全那覇市民にまで聞えます。沖縄70万人民が声をそろえて叫んだならば、太平洋の荒波を越えてワシントン政府を動かすことができます」（1950年）

演説会場には米軍の諜報機関や警察も混じっていた。言動を監視するだけではない。誰が聴きに来たかをチェックするためだ。聴衆の身元が判明すれば職場や学校に通報され、最悪の場合、追放される恐れさえあった。それでも、どの会場もこうした圧力を吹き飛ばす熱気に包まれていた。当時、高校生だった稲嶺恵一・元県知事は「追っかけ」をし、監視役の元警察官は演説に心を揺さぶられた。映画に記録された証言から、その声は遠くに響いただけでなく、党派や世代を超えた人々の胸に突き刺さっていたことがわかる。

相手は米軍。圧倒的な力で抗う人々を押さえつけ、「銃剣とブルドーザー」でつくった基地に居座り続ける。人々を分断し、その言と論を封じてしまう。こんな閉塞状況を切り裂くように聞えてきたのがこの男の声と言葉だった。

「1リットルの水も、一粒の砂も、一坪の土地もアメリカのものではない」（1956年）。ゆくし（うそ）がなく、誠実で、詭弁を弄さない。そして、何よりも聴衆を信じ切って鼓舞し、不正義を許さない行動を呼びかける。苦しむ人々の代弁者であり、怯むことなく愛する沖縄の進むべき方向をわかりやすく説き続けた。

「あなたなら　どうする」

次女で、「不屈館」の館長、内村千尋さんは沖縄で戦闘が始まる直前の3月、疎開先の宮崎県で生まれた。沖縄に残った父は老いた両親を連れ、本島南部から北部に逃げ延びた。途中、住民のむごたらしい死体を何体も目撃した。住民に多大な犠牲を強いた沖縄戦が終っても、沖縄は米軍支配という新たな苦難に直面する。戦後の闘いも始まることになる。

千尋さんによれば、「不屈館」を訪れる人の中に、大学生や若い研究者が目立つようになった。没後17年、その肉声を直接に聴いたことのない世代にも、その抵抗の生涯と戦後沖縄史への関心が静かに広がっているのであろう。混迷が続いている沖縄への危機感と、こうした状況に自らがどのようにかかわっていけばいいのかという切迫感が、「不屈館」に導いているのかも知れない。

再びネーネーズの歌に耳を傾ける。

「おしえてよ」という問いかけは続く。「あなたなら　どうする」。不屈の言葉と情熱を忘れない「あなた」であるそれぞれの「わたし」の、決意と行動を待っているのだ。

（2018年3月12日付「琉球新報」朝刊）

「不屈館」の7周年にもコラムを書いた。「忖度政治」の状況のなかで、これに抗していくためには、民主主義の原則に忠実で、民衆と心を一にする「不屈」の精神が欠かせないと考えたからだ。

抵抗の気骨と「不屈の民衆」

その写真には、気骨が漂っている。見入る人に、強い心さえ感じさせる。那覇市若狭の「不屈館」。今月1日で開館7年を迎えた。写真は開館以後、館内3カ所にずっと掲示され続けている。同じ写真を焼き増しし、ひとつは額入りで入り口近くの壁に。別のふたつはパネル加工してそれぞれのコーナーで向かい合う。写真のタイトルは「米軍への宣誓拒否」。

1952年4月1日、沖縄戦で破壊しつくされた首里城正殿跡に建てられた琉球大学本館校舎前で、琉球政府創立式典が行われた。「政府」と名前を聞けば自治組織を思い浮かべるが、実態は米軍の指揮下に置かれていた。写真は、式典の「宣誓式」に出席していた琉球大学の教員が撮影した。

写真に目を凝らしてみよう。

直前に行われた立法院（現在の県議会に相当）議員選挙で当選した31人の議員のうち30人が脱帽、起立するなか、男が最後列でひとりだけ着席。背筋を伸ばし、鳥打ち帽をかぶったままキッと前を見据えている。一向に立ち上がろうともしない姿に、約２０００人の出席者はどよめいたと伝わる。

断固として宣誓を拒んだのは、カメジローである。

宣誓の文案には、「立法院議員は、米民政府と琉球住民に対し（誠実かつ公正な職務遂行を）厳粛に誓います」とあった。カメジローは「米民政府」の削除を要求した。日本も米国も調印し１９００年に発効した「ハーグ陸戦条約」に違反している、というのが根拠である。条約は「占領地の人民は、敵国に強制的に忠誠の誓いを為さしめられることはない」（第44条）とする。

カメジローが相手にした米軍による沖縄統治は、沖縄戦と同時に始まる。

米軍は45年３月の慶良間諸島、４月の沖縄本島と進軍を続けるなか、行く先々の占領地で日本の行政権を停止。米軍政下に置くことを布令として通告した。９月７日には南西諸島の日本軍が降伏調印した。

軍政は通常、敗戦国が国際社会に独立国として復帰する「講和」をもって終了する。

しかし、沖縄の場合、米軍が対共産主義圏の前進基地として長期の占領を決めたため、戦後日本の行政権から切り離され米軍統治が続いた。50年に軍政府を民政府に切りかえ、統治の安定を図ろうとしたが、本質は米軍による沖縄の民主主義抑圧体制の維持だった。「米民政府への忠誠」とは、その体制への屈服に他ならなかった。

宣誓文は日本語と英文で書かれており、日本語では確かに削られたが、英文には残ったままだった。カメジローの行動は、こうした姑息な米軍の正体をも暴くものだった。「不屈館」の看板、刊行物には、「瀬長亀次郎と民衆資料」と添えてある。カメジローの次女で館長の内村千尋さんは、「父は、常に民衆を信じていた。ここにある資料は、その証」と語る。カメジローひとりが時代に屈しなかった「不屈の男」だったのではない。カメジローが勇気づけた民衆も、カメジローを支え返した大きな力であった。

そう受け止めて、「たったひとりの反乱」のカメジローの姿に目を向ける。その後ろに、「不屈の民衆」が見えるようだ。

（2020年3月8日付「琉球新報」朝刊）

戦跡と歴史空間を巡るうち、私自身の体調が悪化していた。

2018年7月20日、私は琉球新報社本社7階の会議室でミーティング中、意識を失って突然倒れ、病院に救急搬送された。末期の胃がんで、出血がひどく、瀕死の重態だった。輸血してやっと手術ができる状態になったが、がんは肝臓の一部にも広がっていた。胃のすべてと肝臓の一部を切除して1カ月で退院したものの、がんは肝臓と膵臓の入り口付近に転移していた。「1年頑張ってみましょう」と主治医に励まされながら以後、抗がん治療を続けている。「頑張ってみましょう」の「1年」は、余命の時間を意味していた。

副作用による入退院の合間を縫って、戦跡巡りは続けた。ただ、その回数は減り、途中で離脱することもあった。

私の病に関係なく、沖縄はこの間、大きく動いた。翁長雄志知事の死は最初の入院中、玉城デニー新知事の誕生も副作用による短期入院中のことであった。ベッドに横たわったまま、愛用のアイパッドに文字を打ち込んだ。

翁長知事の魂

私事から始めることをお許し願いたい。

6月20日、母が逝った。そのちょうど1カ月後の7月20日、今度は私が倒れ、救急搬送された。胃に出血があり、全摘手術を受けた。このほど退院したが、今後も入退院を繰り返しながら抗がん剤投与の治療を続けることになった。これからやって来る時間のなかで余命が削られる可能性があることを、医師から示唆された。

思いもかけない自身の事情で、翁長雄志知事が「辺野古新基地埋め立て承認の撤回」を意思表示した記者会見とその後の急死を伝えるニュースの詳報は、病床で新聞を読んで確認するしかなかった。

熟読して感じるのは、知事が発した言葉の持つ重さであった。この政治家はどれだけ魂を込めて言葉を選んだことか。その言葉は何と大きな力を持っていたことか。今後はいっそう具体的に死の淵を意識して言葉を使わなければならない我が身にとって、記者会見に臨んだ知事の言葉には、沖縄の政治家としての良心に満ちた覚悟と歴史への真摯さ、さらには未来に対する責任が見えるような気がした。

「日本とアジアの懸け橋、こういったところに沖縄のあるべき姿があるんではないかと思う。いつかまた切り捨てられるような沖縄ではできない」「思いがないと（新基地建設をめぐる）この問題に答えることはできないんですよ。この思いをみんなでどういうふうに共有して何十年後の子や孫にね（伝え、遺していくか）私たちの沖縄は何百年も苦労してきたんだから、今やっと沖縄が飛び立とうとしている訳だから、そしてそれは十二分に可能な世の中になってきている訳だから」（かっこ内は筆者が補足）

この言葉を耳にし、あるいは目に焼き付けた人々はあらためて思うはずである。「捨て石」にされた沖縄戦の実相を知事が念頭に置き、国土のわずか0・6％の面積しかない沖縄に米軍専用施設の70％が集中している現況を多くの日本人が無関心と無理解のなかで是認していることへの憤りがあったことを。

問いかけられる想像力

知事は就任からしばらくの間、「魂の飢餓感」という言葉で沖縄の現状に対する苛立ちを表現し、本土に向けたメッセージとしていた。だが、その「飢餓感」への政府の返答は、根拠を示すことがない「辺野古移設が唯一の解決策」とするかたくなな姿勢であった。本土は知事の「魂」を受け止めなかった。受け止めるだけの度量も展望もなく、日米同盟のためには沖縄に過重な負担を強いても構わないとする差別的態度に終始した。やがて知事は、この言葉をほとんど使わなくなった。通じない相手への落胆と深い絶望感があったであろうことに思いをめぐらせる。

知事は重い言葉を遺して逝った。

「今やっと沖縄が飛び立とうとしている」。死が迫るなかで語った「魂」を私たちはどのように感じ、受け止めて、行動に移すべきなのか。沖縄へのアイデンティティーを意識して自立への強い思いを込めていた知事の「最期の言葉」は、歴史を踏まえて続く未来に、私たちが想像力をどこまで広げることができるのかを問いかけている。

（２０１８年８月22日付「琉球新報」朝刊）

原点としての沖縄戦

その第一声は伊江島からだった。沖縄県政の新たな舵取りを県知事選史上最多の得票で委ねられた玉城デニーさんは、沖縄戦の激戦地のひとつだったこの島を自らの訴えのスタート地点に選んだ。それは今後４年間の県政運営の中に、確実に沖縄戦の記憶の継承と「平和」を盛り込んでいくという強い意志であったと受け止める。

なぜ、伊江島だったのか。

沖縄戦における伊江島の戦闘（１９４５年４月16〜21日）を調べてみると、島民１５００人以上、日本軍２０００人以上が亡くなっている。その日本軍には、防衛召集者、義勇隊、女子救護班、婦人協力隊など根こそぎ動員された現地住民が多く含まれ、これらを合わせると戦没者に占める住民の犠牲は正規軍の数をはるかに上回っていた。さらに「集団自決(強制集団死)」や日本軍による住民虐殺なども起きた。「沖縄戦の縮図」と言われるゆえんである。

戦後はどうか。占領した米軍は、本土空襲のための飛行場を整備・建設するため島民を渡嘉敷島などに移動させる。その後も現在の米軍キャンプ・シュワブ内にあった大浦崎収容所などに移し、伊江島に戻ることを許したのは戦後2年も経ってからだった。島民が帰された古里は「米軍基地の島」と化していた。1950年代、さらに米軍は農地の強制収用を進めた。徹底した非暴力で阿波根昌鴻さんらがこれに抗ったが、広大な米軍基地は今も存在し続ける。「戦後沖縄の縮図」でもある。

玉城さんは伊江島から選挙戦を始めた理由に「母親の故郷だから」を挙げたが、沖縄戦が戦後の伊江島、ひいては沖縄全体の原点のひとつであることをことさら声高に語ったわけではない。それは歴史に真摯に向き合えば自明のことであり、自らの出自そのものが戦後沖縄の象徴であることも重ね合わせていたのではないか。

急逝した前知事、翁長雄志さんも、その思想の原点に沖縄戦を置いた政治家だった。沖縄戦で無念の死をとげた住民の遺骨収集に尽力した父親の姿を範とした。住民を巻きこんで戦闘を長期化させ、沖縄を捨て石にした結果で生まれた基地・沖縄について、保守の立場にあっても本土政府の冷酷さ、無理解を明確に指摘した。一貫して強調し続けた「沖縄のアイデンティティー」を支える柱のひとつは、沖縄戦（戦争）の記憶と体験につながる新基地建設は絶対に許さないという信念、魂であり、沖縄の尊厳をかけた思いであったろう。

玉城さんは、こうした翁長さんの後継者として信任を受けた。選挙戦で語ったメッセージの多くは「暮らし」であり、沖縄の「未来像」であった。ただ、その前提には「平和があってこそ」「沖縄にこれ以上の基地はいらない」という沖縄戦を踏まえた思いがあったことを有権者は見て取ったのではないか。

「ウチナーンチュ、ウシェーテー、ナイビランドー（沖縄県民を蔑ろにしてはいけませんよ）」。

翁長さんの魂の言葉を玉城さんの姿勢に重ねながら、沖縄の有権者は今、判断を鮮明にした。沖縄戦を無視せず、忘れず、これが生んだ現況に関心を持ち続ける。有権者は、そんな知事を誕生させた。

（２０１８年10月７日付「琉球新報」朝刊）

がんと闘うという思いもよらない事態に、巡って考える場を広げることが難しくなった。

しかし、激励を受けるたびに、「これからできること」、「一緒にやれること」について私なりに提案を続けている。ひめゆり平和祈念資料館と「琉球新報」、「沖縄タイムス」の沖縄2紙が協力して沖縄戦の記憶の継承マインドを強化するための研修も、そんな話から実現した。

記者の沖縄戦——「自分ごと」として

糸満市のひめゆり平和祈念資料館で（2019年）3月末、「琉球新報」と「沖縄タイムス」の若手記者を対象に沖縄戦の記憶を継承するための合同研修会が開かれた。計26人の参加者が自らの考えや意見を交換し合うワークショップ方式で、事後のアンケートに答えた23人のうち19人が研修内容について「非常によかった」とし、4人が「よかった」と回答した。この初めての試みが成功したことを物語っているが、沖縄の新聞にとって継承が喫緊課題であることも見えてくる。

戦場の記憶と戦後に引きずり、沈殿していった住民の思いを伝えていくにはどうすればいいのか。記者の代替わりとともに、継承マインドはどのように引き継がれているのか。そんなことを思いながら、「琉球新報」の長期にわたる沖縄戦継承企画「未来に伝える沖縄戦」を読み、そして、考える。

この企画は、２０１１年９月から現在まで続いている。２０１９年４月10日掲載で２５７回になる。

中学生・高校生が沖縄戦体験者にインタビューし、「聞いて学んだ」という感想も添える。担当記者はインタビューに立ち会い、全体の編集を行う。記者は若い世代から選ばれており、17年からは記事の最後に自らの年齢を明記したうえで小さなコラム「記者も学んだ」が加わった。10日掲載分では、25歳の女性記者が「戦争を知らない世代の記者として、沖縄戦の体験を言葉に記して残し、多くの人に読んでもらえるよう、力を尽くしていかなければいけないと強く感じました」と書いている。記者は黒衣（くろご）、という通常の記事の枠を脱した取り組みだ。

「未来に伝える沖縄戦」は実は、「琉球新報」が04年７月から05年９月にかけて展開した「沖縄戦新聞」を引き継いでいる。「沖縄戦新聞」は軍の視点ではなく、住民の目線で沖縄戦をとらえたが、取材班19人のうち当時25歳で最年少だった玉城江梨子記者が発案者となり、「住民史観」ともいえる姿勢を次の世代の記者にバトンタッチすることになった。①戦争体験を子どもたちに直接伝える②多くの証言を後世に残す③（「慰霊の月」となる）6月だけでなく年間を通じて沖縄戦を描く④記者は代を継いで記憶の継承を担う――ことがコンセプトである。

インタビューした中学生・高校生が感じたものを引き出す役割に力点を置くことも含め、この企画には記者の強い意志が濃厚に関与している。周到に準備し、体験者の憤怒、悔恨、喪失感など「そのとき」の感情の動きを中学生・高校生にも理解できるように聴き取る。そして、その感性や時系列を整理して記録として残すために丹念に筆を進める。ここには、日常の取材・執筆とは異なる緊張感が漂う。「二度と戦争のためにペンを執らない」とする、「他人ごと」ではない「自分ごと」としての覚悟も欠かせない。

2年前、「未来に伝える沖縄戦」の取材経験者で入社5年以内（当時）の6人を任意に選んでその胸の内に耳を傾けたことがある。

6人はそれぞれ、沖縄本島・高江の米軍ヘリパッド工事現場や新基地建設が始まっ

「ひめゆり学徒散華の跡」。糸満市の荒崎海岸（2020年3月9日）

た辺野古での取材も体験していた。厳しい現実と沖縄戦の記憶はどう整合するのか、自問自答していた。答えに導くヒントはある。戦争をあおりながら戦闘激化で廃刊を余儀なくされた沖縄の新聞の歴史を踏まえて、戦後の記者の間に、戦争に与することのない誓いが培われてきたことだ。これを形にするために、沖縄戦体験者に寄り添い、自らも継承の一翼を担うという決意を固めていく。その積み重ねが、記者も加わった語り継ぎの輪郭を明確にする。

今年も間もなく、月桃が白い花をつける。74年前、砲煙弾雨にさらされながらこの花を目にしたはずの住民の心に想像を及ぼし、その想いを決して忘れない。記者たちの紡ぐ沖縄戦の継承報道が、慰霊の季節に本格化する。

（2019年4月17日付「琉球新報」朝刊）

動員されたひめゆり学徒隊が最初に向かったのは、南風原の陸軍病院だった。そこは戦場と変わらなかった。艦砲射撃をまともに受けた。負傷兵と生徒を守ったのは、丘を掘ってできた壕だった。生徒たちは降り注ぐ砲弾をかわしながら壕の外で水を汲み、兵の汚物を捨てに壕を出た。

「場所」「モノ」で紡ぐ戦争記憶

池田榮史著『沖縄戦の発掘　沖縄陸軍病院南風原壕群』〈書評〉

沖縄戦の実相に触れるため、私はひめゆり学徒隊の足跡をしばしばたどる。南風原町が１９９０年、全国で初めて戦争遺跡を文化財指定した沖縄陸軍病院南風原壕群では、２２２人のひめゆり学徒たちが18人の教師に引率され、看護活動に従事した。

本書は、この戦争遺跡の惨禍に戦跡考古学という切り口で迫る。発掘資料を仲立ちに、沖縄戦の記憶を紡いだ記録である。

これらの資料は、人間の発する言葉の証言とは異なる。無言の「場所」であり、「モノ」である。著者が学生と調査・作業を始めたとき（94年。２００６年まで）、半世紀近くの時間の経過のなかで、壕の大半は落盤、崩落し、一帯は自然林に戻っていた。死の淵での絶望感、戦争への憤怒、慚愧の念。死者の無念と生き残った人びとのさまざまな想いを飲み込んだ壕群は、草木に深く埋まり、物言わぬ存在であり続けた。その分、向き合う側の時空を超えた想像力が試される。「戦は二度と起こさない」と決意すれば、その覚悟の質が問われもする。

カラー写真と地図がふんだんに配された93ページの本書には、こうした「重い」表現は見当たらない。だが、透徹した観察眼が作業中の学生の心情を写し出す。

例えば、現在は復元され、壕群のなかで唯一公開されている「20号壕」で。学生は、焼け焦げた天井や壁面からの崩落土に混じった薬のガラス瓶やアンプル剤の破片、ピンセットや注射器などの医療器具を確認しているうちに無口になり、集まって作業をするようになる。「暗い壕内で、沖縄戦の現実を発掘しているという緊張感と、感じる怖さが学生たちに一カ所に集まる行動を取らせる。そのたびに割りふられた調査区での作業を指示しながらも、その心情が十分に理解できたことは言うまでもない」。

ビジュアルな本書は、過剰な主観や情緒を排している。その筆致がかえって説得力を持つ。ガイドブックとしても活用できる。

（２０１９年９月15日付「琉球新報」朝刊）

生き残ったひめゆり学徒隊の生徒の多くは、この壕の「におい」をいつまでも忘れないでいる。汚物と血、膿が混じり合っている。記憶の継承には必要な五感のうちのひとつだ。

継承感覚としての〝資料〟

南風原町にある沖縄陸軍病院南風原壕群。沖縄戦の記憶に誘った小さな容器が今、姿を消している。澱んだ空気に加え、負傷兵の血や膿、汗などが一緒に混じった当時の「におい」が詰められていた。

壕群のひとつ「20号壕」は復元され、2007年から公開が始まった。その入り口で、入壕者が希望すればガラス容器に詰められた異臭をかぐことができた。化合させてできた人工の「におい」は決して人を爽快にはしない。不快に感じる人もいる。だが、病院壕で活動したひめゆり学徒隊の体験者の多くは、鼻孔から染みこんだこの異様な感覚を戦場の記憶のひとつとして語る。「におい」の実感と想像力を通じて、戦争の実相が近づいてくる。

沖縄戦を生き延びた人たちとの会話が、次のようになることがある。身体に染みこんだ五感を辿り始めるときである。

体験者「感じてもらえますか?」。

私「なんとなくわかりますが……」。

当方のあいまいな反応に、いらだっているようにも見える。伝えたいのに、それを言葉だけで言い表すのは難しいのだ。

戦場は、視覚の記憶として人々に地獄を見せただけではなく、嗅覚としての「におい」などあらゆる感覚機能を動員して恐怖、憤怒、喪失感といった理不尽な想念を植えつけた。

【聞いた（聴覚）】空から機銃掃射を浴びせられる。土煙が上がる。波濤を越えて艦砲射撃が迫ってくる。大地を揺らす音。砲弾が破裂、火炎放射器がうなる。そして、人間の叫ぶ声。

「キーンと切り裂くように飛んでくる。ヒュルヒュルという音で、近くに落ちるか、離れたところに外れるか、わかる。火はグゥオーと唸る。『助けて、助けて』の声を聞いても何も感じない」（証言者、多数）

【飲んだ、食べた（味覚）】風雨が続いたのに、飲める水の少なかったこと。井戸への道は「鉄の暴風」に妨げられる。1日1個のおにぎりは最初の支給はテニスボールぐらい。だんだん小さくなって、とうとうピンポン球のよう。

「ひもじいうえにのどが渇いて、渇いて。小さな水たまりがあったので、腹ばいに

なって水を飲んだ。ひどい味だった。大小便、血、肉汁が混じっていたと思う」（看護に従事した女子学徒）

【触った（触覚）】膨れあがった遺体を誤って踏んでしまうと、「ボン」という音がした。手術で切断された足を「大根」と呼び、両手で抱えて壕の外に運んだ。

「あのときは、遺体を見ても無関心。遺体を踏んでも、心はそれほど動かなかった。踏んだときの足の感覚は今も残っている。切断された兵隊さんの足を運ぶときは重かった」（看護に従事した別の女子学徒）

消えた「におい」

視覚と聴覚の記憶は、遺された写真や記録フィルムで一部は補える。しかし、嗅覚、味覚、触覚は体験者の言葉に寄り添って感じ取るしかない。病院壕の「におい」は、その数少ない継承感覚とも呼べる〝資料〟だった。

南風原町はこの病院壕群を1990年、町の文化財に指定した。戦争遺跡の文化財指定は全国で初めてのことだった。指定理由は「病院壕は、戦争の悲惨さを教えてくれる生き証人であり」、「沖縄戦を半永久的に語ってくれる」ためである。

「20号壕」の公開に向けて町はガイド養成講座を開講し、南風原平和ガイドの会が結成された。壕は追体験の場として活用され、このガイドが案内する入壕者は年間1万人を数える。

聞けば、「においい」の公開中断は予算削減に絡むという。とはいえ、病院壕は平和教育の現場として先駆的な役割を果たしてきた。五感を動員する記憶の継承について改めて論議し意義を見出したうえで、「復活」を待ちたい。

（２０１９年10月30日付「琉球新報」朝刊）

南風原町は２０２０年の３月議会で、４月からの予算に「におい」の公開復活を盛り込んだ。「におい」が継承に欠かせないと再認識したためである。コラムの指摘が後押ししてくれた、と読者から連絡があった。

エピローグ

私は高校生のとき、日本人カメラマン、沢田教一さん（1970年、カンボジアでゲリラ兵に襲われ死亡）がベトナムで写した写真に目を奪われた。「安全への逃避」とキャプションがつき、二組の親子が川を渡って戦火から逃れる様子がとらえられていた。これを機にベトナム戦争について自分なりに調べ、沖縄がベトナムに派兵された海兵隊員の訓練と出撃の拠点であることを知った。北ベトナムを爆撃する米軍の戦略爆撃機B52も、沖縄から飛んでいく。あれほどひどい戦争を体験した沖縄は、今、どうなっているのか。どうして米軍を止められないのか。幼すぎる疑問の先に、沖縄をこうした立場に追い込んだ日本政府の姿があることを、当時の私は見ることができなかった。日本本土が戦後の占領から主権を回復した日は、沖縄が日本本土から切り離された「屈辱の日」であり、それが「4・28沖縄デー」の意味であることを恥ずかしいことに初めて、大学に入って教えられた。

知らないからといって、甘えてはならない。知っておかなければならないことを知らないことは、罪である。知らないことをいいことに、歴史も現実も無視した言説をまき散らすのも罪である。さらに、知ったうえで不作為を決め込むのは、もっとひどい罪である。沖縄はいつの間にか、私をどういう人間であるのかを写し、読み取る鏡になっていた。

新聞記者となり、望んでベトナム取材に向かった。

ベトナム語で人びとの解放のために闘った兵士を「レッシ」という。今はアルファベット表記に転じているベトナム語だが、もともとは中国の影響で漢字表記されていた。「レッシ」とは「烈士」と書く。そうした戦士を米軍は「ベトコン」と呼んだ。「ベトナムの共産主義野郎」とでもいう意味を込めた蔑称であり、その略称でもある。これだけをもって短絡的に米軍のアジア蔑視、と言うつもりはない。しかし、ベトナム戦争時の写真には、田畑を荒らし、わら屋根に火をつける米軍兵士の姿がとらえられている。まるで沖縄戦の光景だ。また、ヘリパッドが建設された高江に、米軍はかつて「ベトコン村」をつくり、住民をベトナムの農民に仕立てて往来させ、対ゲリラ戦の訓練を続けた。ベトナムの戦場と沖縄は、想像以上に近かったのだ。

「それは、本土復帰前の話でしょう」。ベトナム戦争と沖縄の関係を説明すると、こう反応する人が必ずいる。そして、ほとんどが沖縄の「そのとき」と「いま」の実情を知らなかった。関心もなかった。

戦後75年も経った。これは日本本土の感覚であろう。沖縄ではどうか。「戦後」はあったのか。

朝鮮戦争から中東紛争に至るまで、米軍が関与したアジアの戦争で、沖縄は常に、文字通りの最前線基地として機能し続けた。断固として平和を訴える沖縄が、意に反して一時、ベトナムで「悪魔の島」と呼ばれた。嘉手納基地を発進したＢ52が北爆を続けたためだ。

ベトナム取材で「安全への逃避」に写っていた５人のうち、３人の子どもたちが存命していることを、写真撮影から22年後に確認した。このスクープを「逃げ惑う時代、終わりにしたい」という見出しで伝えた（「毎日新聞」１９８９年４月25日付朝刊）が、２人の大人は亡くなっており、ベトナムの普通の人びとが、戦火に追われ、傷つき、命を奪われた「現実」を私は実感した。その人びとの心と身体の傷を、沖縄戦の体験と米軍基地の存在で沖縄も他人ごととして無視できない歴史を抱えている。戦後74年の慰霊の月に沖縄を巡った。

6月の言霊——無視せず、忘れない

「慰霊の月」の魂（マブイ）は、がんに冒された私の背中を強く押す。戦闘に巻きこまれた住民の無念の死への想像と、生き残った人々が体に変調をきたすといわれる「沖縄の6月」への想いが、私の小さな病の巣を吹き飛ばす。

（2019年6月）18日、読谷村に行った。チビチリガマの前で「集団自決（強制集団死）」の説明に息を飲む村内の小学6年生たち。「あんなことがあって以後、感じ続けています。戦争のむごたらしさに本気で向き合わないと」。付き添いの教師は、意を決したように短く言う。「あんなこと」。2年前、ガマと沖縄戦そのものに無知だった地元の少年4人に荒らされた。事件後、少年らは反省の気持ちを込めて地蔵をつくった。その地蔵が、ガマの周辺に立つ。

歩いて10分足らずの広場に「さとうきび畑」の歌碑がある。「ザワワ」と風にそよぐサトウキビ。その向こうの広い海を74年前、米軍の艦船が覆いつくした。放たれた砲弾は、地獄の使いだった。

「艦砲ぬ喰ぇー残さー」の歌碑も村内にある。艦砲射撃の生き残り、という意味だ。村出身の比嘉恒敏さん（1973年死去）が作詞作曲した。米軍の潜水艦に沈没させられた疎開船「対馬丸」で長男と父親を、二男と妻を疎開先の大阪の空襲でそれぞれ失った。そして荒廃しきった沖縄。激烈な攻撃にさらされて生き残ったのは奇跡でしかない。この惨劇は、生まれ変わっても忘れることができようか。「恨でぃん悔やでぃん飽きじゃらん／子孫末代遺言さな（恨んでも悔やんでも飽きたりない／子孫末代まで遺言しよう）」。

22日、糸満市の寺院、長谷寺に向かう。すぐ近くの「潮平権現壕」は全長約240メートルの鍾乳洞。沖縄戦さなかの3カ月間、住民約560人がこの自然壕に避難した。幸いなことに、ひとりの死者も出さなかった。「この壕のおかげで多くの命が助かった」と壕に続く道に感謝の鳥居が建立され、住民が米軍に保護された旧暦の5月5日、地元自治会が戦争犠牲者の慰霊を続けている。長谷寺も8年前から古謝美佐子さんを招いて慰霊のコンサートを始めた。今年も

沖縄戦で米軍が上陸した読谷村の海岸（2020年3月14日）

1時間半、語りを交えて15曲。

古謝さんは沖縄戦終結9年後の生まれだが、両親が働く嘉手納基地はベトナムの戦場に直結していた。父は30歳で亡くなった。交通事故死だった。「(補償は)200ドルでした」。米軍占領下、ウチナーンチュの命は安く扱われた。戦闘の体験はなくても、戦争の影響は身にしみている。「たった2文字でも、戦争はすべてを奪うもの」。琉球音階に乗せた心が、本堂広間に響く。

「南洋小唄」、「熊本節」。沖縄戦突入前から沖縄は戦争の臭いをかぎとっていた。やがて苛烈な地上戦が始まり、悲惨な結末。生き抜いた人々が口にした「屋嘉節」、「PW無情」、「二見情話」。「二見」は名護市の東海岸にある地名。その先、辺野古で今、新基地の建設が進む。

「童神(わらびがみ)」でコンサートは閉まった。無垢な子どもの命を、戦もなく無事に育む幸せこそが平和であることを感じ取る。

翌23日、摩文仁。雨でぬかるんだテント張りの慰霊式典会場の隅で、玉城デニー知事の言葉を聞く。民意を無視する新基地建設に反対だ。その想いの根底に、沖縄戦以後、過重な基地負担という現況に至るまで翻弄され続けた歴史がある。「人間が人間でなくなる」ことを体験し、記憶し、語り、負の遺産として忘れることなく次代に渡す平和への道のりの意味を、知事は行間に込めた。

史実に基づく想いや主張には、本質を射貫く力がある。「沖縄戦は何を守るための戦争であったのか」。その答えにつながる言霊を、病に抗う身に埋め込み、沖縄を巡る。

（２０１９年６月26日付「琉球新報」朝刊）

米軍基地との関係でも、心に刻むべき日がある。

２００４年８月13日、普天間飛行場近くにある沖縄国際大学に米軍のヘリコプターが墜落した。事故現場を米軍が仕切り、大学はもちろん、沖縄県警、県や市の行政当局も立ち入りを拒否された。取材陣は遠巻きに見守るだけだった。憲法よりも上位に位置づけられた日米地位協定の取り決めのためだ。

学童疎開船、対馬丸の悲劇を取り上げた「沖縄戦新聞」第２号は、この日が原稿の締め切りだった。取材班も当然、墜落事件に駆り出された。この取材の後、対馬丸の原稿を出し終えたとき、朝日はもう、昇っていた。完全に徹夜だったが、そんなことはどうでもよかった。

「どこの国だ、ここは」。夏休み中で死傷者こそなかったものの、怒りが沖縄を覆った。立ち上がる炎と黒煙、衝撃音の大きさに沖縄戦を思い起こし、戦の影を見た住民も多かった。戦争体験のない取材班も、初めて「戦争」を実感した。

沖縄では新聞の号外が発行された。本土紙の扱いは小さかった。

一部の本土紙は号外を発行したが、それは沖縄での出来事を伝えるためではなかった。プロ野球、読売巨人軍の経営トップが球団の不祥事で辞任したニュースの速報だった。沖縄への無関心が極まったような、まるで別の国の言論状況である。

ヘリ墜落の記憶

ピントの甘さが、かえって、現場の生々しさを浮き彫りにする。

（２０１９年８月）13日から18日まで那覇市のパレット久茂地６階、那覇市民ギャラリーで開かれている写真展「私の見た壁～１０００の記憶～沖縄国際大学米軍ヘリ墜落から15年」。

決して広くはない展示場で目を引くのは、市民による写真だ。新聞記者、プロのカメラマンは米兵によって現場から遠ざけられた。カメラを向けてもレンズを兵士に遮られた。国民の知る権利に奉仕する報道の自由は憲法の保障する表現の自由につながる。しかし、憲法よりも上位に位置づけられた日米地位協定の存在が、米軍の横暴を許したこの治外法権状態の根拠とされる。沖縄県警も消防も立ち入りを許されなかった現場を、理不尽にも米軍が露骨に支配した。ただ、現場に殺到したのは、報道陣だけではなかった。凄まじい爆音と、燃え上がる炎、黒煙。驚いた付近の住民も現場に駆けつけ、持っていた携帯電話の写真機能を駆使し、当時、容易に手にできたインスタントカメラも動員して夢中でシャッターを切った。米兵の警戒、注意も当時、市民のこうした行動の規制にまでは及びにくかったようだ。そのとき記録された写真がいま、15年前、2004年8月の記憶の〝証人〟として毎年、展示場に掲げられ続ける。

市民の目が〝証人〟

写真展の表題「1000の記憶」の「1000」は、それだけ多くの人たちが現場で見つめたという意味がこもっている。墜落事故について、実に多くの市民が地位協定の実相として記憶し、写真に記録した。写真展開催に最初からかかわってきた新川美千代さんは当時、4歳の長男の子育て中。大学方向から立ち上る黒い煙を西原町の自宅から目撃した。以後、この墜落事故を最後の基地被害にしなければとの願いを込めて「最後の警告」と呼ぶ。しかし、その後も基地が存在するが故の事件・事故は後を絶たない。風化も心配だ。

マンションの合間を縫うように飛来して普天間飛行場を目指したヘリは、沖国大1号館の壁に激突した。住宅街で、大学構内で、死傷者が出なかったことは、ほとんど奇跡に近い。大事故であったにもかかわらず、ヘリが激突した壁は、原状回復工事の過程で3分の1ほどの大きさに縮められ、墜落事故現場のそばにつくられたモニュメントの一画に押し込まれた格好だ。現場に詳しい人の説明を受けないと、この壁の静かなたたずまいがヘリに襲いかかられた傷跡とは気づきにくい。在校生の7割がモニュメントの存在を知らないという意識調査も、結果的に無視や無関心に結びつく。

墜落事故は、戦争(と、それにつながるもの)の記憶の呼び戻しや想像力の喚起につながっていくと私は思う。これを、どう語り継いでいくか。

沖縄は沖縄戦や、それ以後もベトナム、中東など在沖縄の米軍が展開した戦場への想像力が広がる場所である。その史実に真摯に向き合い、語り継ぎ、再び戦争を起こしてはならぬとの想いを共有できる空間でもある。沖縄戦の体験者が個人的な悲しみや怒り、喪失感を心の奥に抑え込んで語り続ける様には、ひめゆり平和祈念資料館の「証言員」（体験者）と「説明員」（次世代の継承者）に見られるように、体験者本人の超人的な努力と、この想いを継承しようとする若い世代の理解と共感がはっきりと見える。新川さんは言う。

「沖縄戦を語る方々は、沖縄側から写した映像、写真が残っていない中、米軍の資料を使ってでも自らの記憶を振り絞ってきた。ヘリ墜落事故は、こちらから写した写真がいっぱいある。これを活用して、私たちは記憶と記録を残し、基地被害根絶のためにも伝え続けなければ」。

新川さんとともに写真展開催に力を注いできた仲尾美希さんは当時、沖国大1年生。最初は壁の保存運動に取り組み、自らも墜落事故の当事者であるという意識は常にある。

始めた当初、10年で終える予定だった写真展は、その設定期限を超えた。15年の時を経ても、沖縄の現状は変わっていない。市民の目で見た墜落事故当時の記憶の発掘は、基地負担が続く「戦後」の沖縄をあぶり出す意味で、ますます重い役割を担っている。

（２０１９年8月16日付「琉球新報」朝刊）

沖縄戦は開戦早々の「集団自決（強制集団死）」に始まり、ポツダム宣言受諾を明らかにした天皇の「玉音放送」以後の住民虐殺で終っている。明々白々なこれらの事実は、他の事例も重ね合わせて「軍隊は住民を守らない」として今も語られる。

しかし理性で歴史を洞察することなく、個人よりも国家を優先する「いつか来た道」への憧憬が声高に語られ、歴史修正主義がいつの間にか大手を振り始めた今、辛い歴史に学んだ沖縄の民衆知に耳を傾けることもなく、本土政府はむしろ逆に、「軍隊は民衆を守る」と言わんがばかりの姿勢で辺野古に新基地建設を推し進める。植民地の言うことなど相手にしないと強弁しているかのような振る舞いである。そして、日米安保条約を支持する80％の有権者も結果的にこれに加担していることになる。国防、外交は政府が決めること、基地を沖縄に預け、有事の被害も沖縄でとどまる限り、「私」には無関係だ。あるいは、こういう言い方もある。「私」個人は、沖縄の人びとをかわいそうにと思う。気の毒でもある。しかし、「私」は無力だ。仕方がない……。これが、

80％の人たちの不作為の論理である。

75年も経ったのだ。

いつまで基地を沖縄に押しつけるのだ。いつまで沖縄が〈いくさ〉の影に覆われ続けるのだ。10年か、50年か、それとも100年か。基地被害はまっぴらだが、「防衛」は最優先事項だ。だから、「私」に被害が及ばない沖縄へ……。人間としての質が問われている。長すぎる思考停止は、思考の放棄と同義である。

国家が個人の尊厳を徹底的に破壊した。沖縄戦の本質は、そこにあった。繰り返し思索を巡らせると、沖縄戦を起点として、国の都合と論理によって〈いくさ〉と隣り合った道を強いられ続けている沖縄の姿が「自分ごと」として迫ってくるはずである。

あとがき

最後に、身近な沖縄戦を記しておく。

沖縄師範学校女子部で最上級生だった義母は、1945年3月29日午後10時、ひめゆり学徒隊の一員として動員・配置された南風原陸軍病院の三角兵舎で行われた卒業式に臨んだ。その直前には渡嘉敷島、座間味島などで「集団自決（強制集団死）」が起きた。4月1日には沖縄本島に米軍が上陸する。沖縄戦はもう、始まっている。卒業式の最中も、米戦艦からの艦砲射撃の音がとどろいていた。

卒業生が斉唱したのは、「仰げば尊し」ではなく「海ゆかば」だった。卒業の時点で生徒ではなくなる。平時であれば年度が改まる4月から新任教師として教育現場に立つはずが、赴任すべき学校の機能はすでに停止しており、その一帯は戦場と化している。「師範卒業生は教育要員であるからそのまま学徒として取り扱う」こととされ、引率教師に協力しながら引き続き学徒隊員として看護活動に従事した。

6月18日、学徒隊は軍の「解散命令」によって一方的に任務を解かれ、戦場に投げ出される。自決用の手りゅう弾しか持たない女生徒が、ひとりで生き延びる術など持ち合せてはいない。師範学校の下級生だった妹を含む8人でグループになり、海軍の下士官ひとりと兵士2人がこもっていた壕に入れてもらった。

自決するか、捕虜になるか。長い時間をかけてそれぞれが意見を出し合った。義母はほとんど口を開かなかった。「兵隊さんに殺してもらおう」ということでまとまり、目を閉じて兵士を囲んだ。「一、二、三……」。兵士は手りゅう弾を爆発させず、下士官が日本刀を抜刀して振り回し、「お前らは死ぬな。出て行け」と大声で叫んだ。驚いて壕を出ると、すぐ前に米兵がいた。直後、後にした壕で爆発が起きた。義母らを追い出した3人が自爆死していた。

米軍のトラックに乗せられ、収容所へ運ばれた。途中、飛び降りて舌をかみ切って死のうと思ったが、できなかった――。

ここまでの話は、ひめゆり平和祈念資料館に残された本人の短い証言と、一緒に米軍に保護され、現在も存命している方からの聴き取りが中心である。

義母は戦後の短い期間、小学校の教師になった。教え子たちにどんな話をしたのか、記録はない。

義母は、その体験を積極的には語らず、五感で感じ取ったはずの記憶の大半を封印したまま私が沖縄に移り住む1年前に逝った。日常的には何事もメモする癖があったが、戦場や、戦争に関する書き物は残していなかった。

戦跡巡りや資料読解に没頭しているとき、この道をたどるきっかけとして義母の存在を意識することもあった。その都度、義母や生き残った人たちの体験を自分ごととして感じたうえで沖縄と向き合わなければならないとあらためて思った。

２０１９年11月末、大阪に招かれ、２５０人の人たちを前に「沖縄戦の記憶をどう継承するか」をテーマに話をする機会があった。

人前で講演することほど知力と体力を使うものはない。移動の疲れも加わる。それでも、この日は体調がよほど良かったのだろう。質疑も含めた2時間、がんと闘う身でありながら、私は立ちっぱなしで話を続けた。繰り返し、無関心や不作為の罪を自戒を込めて説いた。後日、「毎日新聞」に掲載された記事の見出しも「沖縄への無関心は暴力」となっていた。

講演後に回収された119人分のアンケートでは、92人が「満足」、21人が「やや満足」とし、沖縄への無関心を反省する声が圧倒的に多かった。知り、考え、行動に移す。シッタカフーナー（知ったかぶり）やシランフーナー（知らんふり）を振り払って沖縄への想像力が広がっていくようにいざなうのが、残された時間の少ない私の小さな役割であろう。

この講演にも触れて、次のような書評を書いた。

大阪市天王寺区で講演する筆者（2019年11月30日）、毎日新聞提供

外されることがない眼差し

野村浩也著『増補改訂版　無意識の植民地主義—日本人の米軍基地と沖縄人』〈書評〉

昨年暮れ、米軍基地のない大阪で「沖縄問題」をテーマに講演した。参加者250人のうち119人がアンケートに答え、大部分に「大阪で沖縄の苦しみをどう考えたらいいのか、真剣に探してみる」と追記してあった。

講話の途中、著者の対日本（人）観が頭をよぎった。

私が繰り返したのは、有権者の８割近くが支持する日米安保条約には、沖縄への基地集中は明記していない。にもかかわらず、沖縄と本土の米軍基地の負担割合は、面積を１人当たりで言い換えると、２００倍以上を沖縄側に強いている。辺野古新基地建設について拒否の姿勢を示した県民投票の結果に「沖縄と日本本土の民主主義は違う」と言い放った前防衛相など、あきれて開いた口がふさがらない―ということだった。

著者は、沖縄について知ったかぶりや知らんふりをして現実を直視しない日本人の意識構造を「植民地主義」と呼ぶ。すでに大田昌秀さん（２０１７年死去）は「醜い日本人」と喝破した（１９６９年）。２００５年に初版を出した著者はこれをさらに一歩踏み込んだ。沖縄は日本本土の「植民地」であり、これを改めるには、植民者（日本人）がそれに気づかなければならない。

その15年後の今、増補改訂版として著者は再び世に問うている。「沖縄大好き」という相手に「では、基地を引き取って」。途端に「権力的沈黙」だ。「基地がある沖縄が好きなのだ」。政治的には「日本本土への基地引き取り」を強い口調で展開する。

だが、これはあくまで方法論なのだ。論の根幹は、「沖縄人が基地に反対するのは被害者だからではない。これ以上殺さないため、殺戮者にならないため」（17ページ）というところにある。

沖縄戦と戦後の米軍の直接統治が、沖縄の心をいやおうなく腰の据わったものにした。その時空間を忘却し、無関心を装う日本人を著者は告発する。

4年前、私は沖縄戦の継承ジャーナリズムを学ぶために沖縄に移り住んだ。厳しい目を意識している。私を含む日本人が今、どんな具体的行動に移るか、その眼差しが外されることはない。

（2020年1月19日付「琉球新報」朝刊）

本書の核をなす「琉球新報」のコラム「おきなわ巡考記」の原稿は開始当時から報道本部長の職責の方々に窓口になっていただいている。最初の現・編集局長の松元剛さん、引き継いでいただいた現・読者事業局特任局長兼出版部長の松永勝利さん、現在の担当である島洋子さん。出版にあたっても、それぞれに大変お世話になった。

編集の坂本菜津子さんには前作『魂（マブイ）の新聞　「沖縄戦新聞」沖縄戦の記憶と継承ジャーナリズム』（2018年、琉球新報社刊）に続き、読みやすく、ビジュアル面でも映えるよう工夫いただいた。ありがたいことである。

両親が何を考えているのか、沖縄を一緒に歩きたいと、大阪に住む息子たちが家族を連れてこの正月に来てくれた。行く先々で普段からお付き合いいただいている沖縄の方々も、息子たちにさまざまな説明をしてくれた。宝物のような素敵な時間だった。
あらためて感謝の気持ちを付記しておきたい。

２０２０年5月27日

75年前、日本軍司令部が首里城地下壕を撤退、沖縄本島南部に移動した日。
以後、住民が巻きこまれた凄惨な〈いくさ〉がいっそう激化する。

藤原　健

沖縄戦後史略年表

年	月	出来事
1945	3	米軍、慶良間諸島に上陸、沖縄戦始まる（26日）
	4	米軍、沖縄本島に上陸（1日）、ニミッツ布告により米軍政開始
	5	一県一紙の「沖縄新報」、戦闘激化で廃刊（25日）
	6	日本軍（第32軍）司令官、参謀長自決（23日）
	7	沖縄本島・石川収容所で新聞誕生（26日。無題紙。第2号以降「ウルマ新報」→「うるま新報」→51年9月10日以降、現在の「琉球新報」）
	8	日本、ポツダム宣言受諾の「玉音放送」、沖縄諮詢会発足（15日）
	9	日本政府代表、米戦艦「ミズーリ号」艦上で降伏調印（2日）
	9	南西諸島の日本軍代表、沖縄本島（現在の嘉手納基地内）で降伏調印（7日）
1946	1	GHQ覚書により、北緯30度以南の諸島が日本から分離（29日）
	4	沖縄民政府発足（24日）

8	日本本土への疎開者、第1陣が帰還（17日）
1947・3	沖縄全島で昼間通行許可（22日）
5	日本国憲法施行（3日、沖縄は適用されず）
6	沖縄民主同盟結成（15日）
7	沖縄人民党結成（20日）
9	沖縄統治に関し米軍の長期占領を要請する「天皇メッセージ」、米側に伝達（19日）
1948・5	琉球銀行設立（1日）
7	「沖縄タイムス」創刊（1日）
7	全琉の法定通貨、B円軍票に切り替え（16日）
8	伊江島で米軍弾薬輸送船が爆発、巻き添えで住民ら102人死亡（6日）
1949・10	中華人民共和国成立（1日）
10	琉球米軍政長官にシーツ少将就任（27日）、防空演習始まる
1950・2	GHQ、「沖縄に恒久的基地建設を始める」と発表（10日）

年・月	出来事
3	米軍政府、基地建設に参加希望の日本本土業者に沖縄渡航を許可（13日）
5	沖縄戦で壊滅した首里城跡に琉球大学開学（22日）
6	朝鮮戦争勃発（25日）
6	在沖米空軍、朝鮮戦争に出動（27日）
10	沖縄社会大衆党結成（31日）
11	四群島（奄美、沖縄、宮古、八重山）政府発足
12	米軍政府が米国民政府に改編（15日）
1951・9	サンフランシスコで対日講和条約調印、日米安全保障条約調印（8日）
1952・4	琉球政府発足（1日）、初代行政主席に比嘉秀平が就任
4	対日講和条約、日米安全保障条約発効（28日）。沖縄は米軍の占領状態が継続
7	那覇日本政府南方連絡事務所設置（1日）
8	琉球民主党結成（31日）
1953・1	映画「ひめゆりの塔」公開（9日）
3	戦傷病者戦没者遺族等援護法の沖縄への適用公表（26日）

4	米国民政府、布令第109号「土地収用令」を公布（3日）
11	ニクソン米副大統領、来沖。「共産主義の脅威ある限り、米国は沖縄を保有」と言明（20日）
1954・1	アイゼンハワー米大統領、一般教書で沖縄基地無期限保有を宣言（7日）
3	米国民政府、軍用地料一括払いの方針を発表（17日）
4	立法院、軍用地処理に関する請願を全会一致で可決、一括支払い反対など「土地四原則」を打ち出す（30日）
5	フランス軍、ベトナム軍に降伏（7日）、以後、米国がベトナムに介入へ
10	米軍政による人民党弾圧事件で瀬長亀次郎ら23人逮捕（6日）
1955・1	「朝日新聞」が「米軍の『沖縄民政』を衝く」の記事掲載（13日）
9	由美子ちゃん事件（4日）
10	プライス調査団（米・下院軍用地問題調査団）、来沖（23日）
1956・6	プライス勧告の骨子判明、「土地四原則」を否定（9日）

年	月	出来事
	6	プライス勧告反対・軍用地四原則貫徹住民大会、全島各市町村で一斉に開始（20日、「島ぐるみ闘争」に発展）
	7	那覇高校グランドで10数万人が参加して四原則貫徹住民大会（28日）
	8	米軍、沖縄本島中部地区を無期限オフリミッツ（7日）
	8	琉球大学の学生同人誌『琉大文学』弾圧事件、学生４人が除籍、無期謹慎処分（17日）
	12	那覇市長に瀬長亀次郎、当選（25日）
	12	米民政府、瀬長亀次郎当選で那覇市の都市計画補助・融資を中止（28日）
1957	5	日米琉合同沖縄戦戦没者13回忌法要（７日）
	6	岸・アイゼンハワー共同声明、沖縄基地の継続維持を強調（21日）
	11	瀬長亀次郎追放のための改正布令公布（25日）
1958	1	那覇市長選で民主主義擁護連絡協議会（瀬長亀次郎派）の兼次佐一が当選（12日）
	2	沖縄社会党が結成（16日）
	9	通貨、B円軍票から米ドルへ（16日）

年・月	事項
1959・6	米軍那覇サイト（現・那覇空港）で核弾頭を搭載したミサイルが誤発射、米兵1人死亡、5人負傷（19日）
6	石川市宮森小学校に米軍ジェット機墜落、死者17人、負傷者121人（30日）
10	保守合同で沖縄自由民主党結成（5日）
12	キャンプ・ハンセン演習場で海兵隊員が、誤って立ち入った農婦を射殺（26日）
1960・4	沖縄県祖国復帰協議会結成（28日）
6	アイゼンハワー米大統領、沖縄訪問（19日）
6	日米新安保条約発効（23日）
1961・4	祖国復帰県民総決起大会（28日）
5	復帰協代表5人、祖国復帰を国会、各政党に訴えるため東京へ（20日）
6	キャラウェイ高等弁務官、祝祭日に限り公共施設に「日の丸」掲揚許可（24日）
12	具志川市の民家に米軍ジェット機墜落、死者2人、重傷4人（7日）

年	月	出来事
1962	1	法定祝祭日の「日の丸」掲揚始まる（1日）
	3	ケネディ米大統領、沖縄新政策発表、沖縄が日本領土であることを認める（19日）
	6	初の「慰霊の日」（22日、65年から23日）
	12	米軍輸送機、嘉手納村の民家に墜落、死者7人、重軽傷9人（20日）
1963	2	中学3年の男子生徒、米軍車に轢殺（「国場君事件」、28日）
	3	キャラウェイ高等弁務官、那覇市内の「金門クラブ」月例会で「沖縄の自治は神話」と演説（5日）
	11	在沖米軍、南ベトナム派兵開始（2日）
1964	9	東京五輪の聖火、沖縄入り（7日）
1965	2	米空軍、北ベトナムへの爆撃開始（7日）
	3	米海兵隊、南ベトナム・ダナンに上陸（8日）、米軍の本格介入開始
	4	立法院、憲法記念日を祝日に追加、「慰霊の日」を6月23日に改める（9日）

年・月	事項
6	読谷村で米軍機から演習トレーラー落下、少女が圧死（11日）
6	日にちが変更された「慰霊の日」、翌年以後もこの日に実施（23日）
8	佐藤栄作首相、沖縄訪問（19～21日）
10	北ベトナム爆撃のための米戦略爆撃機B52、グアム島から嘉手納基地に飛来（5日）
1966・5	米軍の大型ジェット空中給油機、嘉手納基地近くで墜落、死者1人（19日）
7	沖縄経済振興懇談会発足（1日）
1967・2	下田外務次官、沖縄の核付き返還論に言及（1日）
2	衆参両院に沖縄問題等に関する特別委員会設置（17日）
10	佐藤栄作首相、南ベトナム訪問（8日）
11	佐藤・ジョンソン共同声明、佐藤首相「両3年以内に双方の満足しうる（沖縄の施政権）返還の時期につき合意すべき」ことを強調（15日）
1968・2	B52、嘉手納基地への常駐開始（5日）

4 全軍労10割年休闘争（24日）
11 初の主席公選で屋良朝苗（革新）当選（10日）
11 B52、嘉手納基地で墜落事故（19日）

1969・2 いのちを守る県民共闘会議、2・4ゼネスト回避決定（1日）
7 1万3千トンの毒ガス沖縄配備の実態を米紙が報道（18日）
11 佐藤・ニクソン共同声明で「沖縄の核抜き本土並み72年返還」が決定（22日）

1970・1 米軍、軍雇用員757人に解雇通告（5日）
1 全軍労、48時間スト決行（8日）
1 全軍労、5日間スト突入（19日）
3 沖縄戦当時の渡嘉敷島駐屯海上挺進隊隊長が来沖（29日）
7 米軍、軍雇用員516人の解雇発表（31日）
11 戦後初の国政選挙実施、衆院5人、参院2人の国会議員が誕生（15日）
12 コザで反米暴動（20日）

年・月	事項
1971・5	返還協定粉砕全県ゼネスト（19日）
6	沖縄返還協定締結（17日）
7	ニクソン米大統領、中国訪問発表（15日）
8	ニクソン米大統領、「ドル防衛の為の非常事態宣言」（15日）で、1ドル360円が変動相場制や円切り上げで沖縄返還に伴う交換レートが305円に移行へ
11	沖縄返還協定批准反対ゼネスト（10日）
12	反戦地主会結成（9日）
1972・1	佐藤・ニクソン共同声明、5月15日で沖縄返還と決定（8日）
2	米軍、1629人の軍雇用員の解雇を発表（18日）
3	全軍労、無期限ストに突入（7日）
4	久米島住民虐殺の指揮官だった元兵曹長と遺族が〝対決〟したテレビのニュースショーが放映（4日）
4	全軍労、無期限ストを打ち切り（10日）
5	琉球政府、CTS（石油備蓄基地）用地として宮城島と平安座島間の埋め立て認可（9日）
5	沖縄返還協定発効、沖縄県設置（15日）

6　初の沖縄県知事選挙、屋良朝苗が当選（25日）
6　自衛隊、沖縄への本格移駐開始（30日）
11　摩文仁で復帰記念植樹祭（26日）
12　沖縄振興開発計画（10カ年計画）決定（18日）

1973・4　米海兵隊、実弾砲撃演習のため県道104号を閉鎖（24日）
5　沖縄特別国体（若夏国体）開幕（3日）
9　CTSに反対する「金武湾を守る会」結成（25日）

1974・1　屋良知事、CTS誘致の方針を撤回、CTS立地反対を表明（19日）
2　那覇市の幼稚園で戦時中の不発弾が爆発、園児ら4人即死、34人重傷（2日）
7　伊江島射爆場で米兵が地元の青年を狙撃（10日）
9　「金武湾を守る会」が埋め立て無効を求め那覇地裁に提訴（CTS　訴訟、5日）
10　県道104号越えの米軍実弾砲撃演習、着弾地に反対派が潜入、実力阻止（17日）

1975・2	CTS建設阻止県民総決起大会（5日）
7	ひめゆりの塔で、皇太子夫妻への火炎瓶事件（17日）
7	沖縄国際海洋博覧会開催（20日〜76年1月18日）
10	那覇地裁、CTS訴訟却下（4日）
1976・6	復帰後2回目の県知事選、屋良知事に続き革新の平良幸市当選（13日）
6	屋良知事、退任2日前にCTS建設を許可（22日）
7	県道越え実弾砲撃演習の砲撃破片で阻止団メンバー負傷（1日）
9	県道越え実弾砲撃演習、阻止行動で労組員4人、刑特法違反で逮捕（17日）
10	具志堅用高、世界ジュニア・フライ級チャンピオンに（10日）
1977・4	県道越え実弾砲撃演習阻止行動で学生4人、刑特法違反で逮捕（19日）
10	米軍、県道越え実弾砲撃演習を強行（4日）

1978・2	名護市、米軍戦車の通行を阻止（10日）
4	尖閣諸島周辺に中国魚船団約100隻現れる（12日）
7	「人は右、車は左」の日本式交通方法に変更（30日）
12	平良知事の病気辞任による県知事選で保守の西銘順治当選（11日）
12	キャンプ・シュワブ基地内から演習中の米軍兵士が名護市許田の集落に機関銃を乱射（29日）
1979・7	沖縄県、米軍、那覇防衛施設局の基地問題連絡協議会（3者連絡協議会）発足（19日）
8	自衛隊も参加して米軍大合同演習「フォートレスゲイル」が沖縄を舞台に始まる（18日）
12	「沖縄県戦災障害者の会（6歳未満）」結成（4日）
12	石垣島の白保地区総会、全会一致で空港反対決議（30日）
1980・1	沖縄県、モノレール導入の方針を決める（14日）
1	第42回国体（海邦国体、87年）の沖縄開催決定（23日）
1	自衛隊那覇基地でミサイル爆発事故（25日）
3	米原子力ミサイル巡洋艦「ロングビーチ」の入港で、ホ

年	月	事項
	6	ワイトビーチ「通常より高い放射能」検出（22日）
	12	県議会選挙で保革が逆転、保守傾向強まる（8日）
		自衛官募集業務費を含む補正予算案、県議会で可決（24日）
1981	1	革新市町村長会、自衛官募集業務拒否を宣言（16日）
	8	6歳未満の戦傷病者戦没者遺族に「援護法」適用（17日）
	9	嘉手納基地爆音被害で周辺6市町村住民共闘会議結成（25日）
	11	ヤンバルクイナ、野鳥の新種と認定（13日）
1982	2	嘉手納基地周辺住民、爆音訴訟を提訴（26日）
	6	教科書検定で、沖縄住民虐殺が削除されていたことに「毎日新聞」が触れる（26日）。その後、「琉球新報」、「沖縄タイムス」の沖縄2紙も追いかけ、「沖縄戦の記憶を消すな」とキャンペーンを展開。その中で「命どぅ宝」という言葉が強調された
	11	県知事選で西銘順治、再選（14日）
	12	一坪反戦地主会結成、在沖自衛隊と那覇防衛施設局会長10周年記念パレード（12日）

年・月	出来事
1983・2	キャンプ・シュワブの演習で、久志中学校（宜野座村）で授業中断（3日）
6	在沖米海兵隊、第7艦隊による大規模上陸演習に自衛隊参加（7日）
12	「沖縄戦記録フィルム1フィート運動の会」結成（8日）
12	那覇防衛施設局の汚職事件摘発（23日）
1984・1	自衛官参加の成人式で革新団体、右翼が衝突、警官隊が出動（15日）
4	沖縄戦跡・基地案内人養成講座始まる（6日）
5	沖縄戦記録フィルム上映会開催（16日）
5	名護市許田でダンプに米軍機銃弾命中（18日）
6	自衛隊機、那覇空港で離陸に失敗、炎上（21日）
9	沖縄県が機動隊を導入して石垣島・白保の環境調査強行（12日）
10	米陸軍特殊部隊創隊式（グリーンベレーの再配備、19日）
1985・2	在沖米軍、北海道で自衛隊と雪中共同訓練（13〜23日）
3	米海兵隊、沖縄配備の全火砲を核砲弾発射可能なM

年・月	事項
	１９８型榴弾砲に転換と発表（1日）
5	西銘知事、沖縄県知事として初の渡米（31日～6月21日）
8	文部省、「日の丸」「君が代」の促進を通知（28日）
11	米太平洋空軍、那覇空港の民間機の離着陸を規制し、大規模な航空機戦闘訓練を実施（19日）
1986・1	県道越え実弾砲撃演習でＭ１９８型榴弾砲使用（28日）
2	「日の丸」「君が代」反対県民総決起大会（25日）
6	核戦争想定の「グローバル・シールド86」に嘉手納基地も連動（10～23日）
8	自衛隊、県内中高生を対象に青少年防衛講座（7日）
11	沖縄知事選で西銘順治３選（16日）
1987・4	チビチリガマの〈世代を結ぶ平和の像〉建立除幕式（2日）
6	嘉手納基地包囲行動〈人間の鎖〉（21日）
9	海邦国体夏季大会（20～23日）
10	海邦国体秋季大会（25～30日）
10	読谷村の平和の森球場で「日の丸」焼却事件（26日）
1988・5	沖縄自由貿易地域那覇地区、開設（26日）

7 一連の軍事演習と基地強化に反対する県民総決起大会（20日）

1989・4 「慰霊の日」休日廃止問題で、県遺族連合会が存続要請（21日）

6 ひめゆり平和祈念資料館、開館（23日）

10 伊江島のハリアー訓練基地完成（13日）

1990・6 日米合同委、沖縄米軍基地返還リスト（17施設23件、1000ヘクタール）発表（19日）

6 米太平洋軍司令官、3年間で在沖米軍5000人を削減と表明（22日）

6 県道越え実弾砲撃演習、復帰後100回目（26日）

8 第1回世界のウチナーンチュ大会（23～26日）

11 県知事選で大田昌秀（革新）当選（18日）

1991・1 湾岸戦争始まる（7日）

3 地方自治法改正、「慰霊の日」公休日が継続確定（26日）

9 県議会、全会一致で在比米軍機の嘉手納移駐反対決議（24日）

年・月	事項
1992・2	戦争マラリア国家補償実現総決起大会（16日）
11	首里城復元、一般公開（3日）
1993・1	NHK大河ドラマ「琉球の風」放映開始（10日〜6月13日）
3	「日の丸」焼き捨て事件裁判で那覇地裁、被告に懲役1年の判決（23日）
4	沖縄で全国植樹祭、天皇・皇后初の沖縄訪問（23日）
1994・4	米軍戦闘機F15イーグル、嘉手納弾薬庫内に墜落、炎上（4日）
8	宝珠山昇・防衛施設庁長官が沖縄で「沖縄は基地と共生・共存してほしい」と発言（9日）
11	県知事選で大田昌秀再選（20日）
1995・6	「平和の礎」建立（23日）
8	県公文書館が開館（1日）
9	米兵による少女暴行事件（4日）
9	河野洋平外相、知事の地位協定見直し要求を一蹴（19日）

9　知事、代理署名拒否を表明（28日）
10　「米軍人による少女暴行事件を糾弾し日米地位協定の見直しを要求する沖縄県民総決起大会」が宜野湾市で開かれる。参加者8万5千人（21日）
11　沖縄における施設及び区域に関する特別行動委員会（SACO）設置（20日）
12　村山首相、大田知事を提訴（代理署名訴訟、7日）
12　戦争マラリア補償問題が慰謝事業を行うことで政治解決（25日）

1996・1　県、基地返還アクションプログラムを提示（30日）
4　橋本・モンデール会談で普天間基地の返還合意（12日）
4　日米首脳会談で安保体制強化を宣言（17日）
8　代理署名訴訟、最高裁判決で県側敗訴（28日）
9　基地の整理縮小、日米地位協定の見直しを求めた全国初の県民投票（8日）。投票率59・53％、賛成89・09％
9　大田知事、公告・縦覧代行を表明（13日）
11　大田知事、「国際都市形成構想」を決定（17日）
12　SACO最終報告、沖縄米軍基地の整理縮小を明記（2日）

1997・1 名護市辺野古で「ヘリポート建設阻止協議会　命を守る会」、結成（27日）

3 「八重山戦争マラリア犠牲者慰霊の碑」建立（29日）

9 日米政府、「日米防衛協力のための指針」（新ガイドライン）で合意（23日）

12 辺野古沖への海上基地建設の是非を問う名護市民投票（21日）。投票率82・45％。「賛成」8・13％、「環境対策や経済効果が期待できるので賛成」37・18％、「環境対策や経済効果が期待できないので反対」1・22％、「反対」51・63％。賛成が合せて45・31％、反対が合せて52・85％で反対の民意が示された

12 比嘉・名護市長、民意に反して、北部振興を図る立場から受け入れを表明（24日）し、辞表を提出して自らの政治生命を終らせる（25日）

1998・2 大田知事、海上基地の受け入れ拒否を表明（6日）

2 名護市長選で、前市長の後継者、岸本建男が「知事の判断に従う」として当選（8日）

11 沖縄県知事選、保守の稲嶺恵一が大田知事の3選を阻止

して当選（15日）

1999・1　那覇軍港の浦添移設を知事が事実上容認表明（29日）

3　沖縄県が普天間飛行場・那覇港湾施設返還問題対策室を設置（1日）

4　沖縄尚学高、選抜高校野球大会で優勝。沖縄勢の優勝は春夏通じて初（4日）

7　地方分権推進一括法、成立（8日）。この法改正で知事による「公告縦覧」や「代理署名」がなくなり、首相の署名によって軍用地の強制使用が可能になった

8　「沖縄から基地をなくし世界平和を求める市民連絡会」（代表世話人・新崎盛暉沖縄大学教授）、結成（14日）

8　宜野湾市議会、普天間飛行場の県内移設要請を決議（21日）

9　「普天間基地・那覇軍港の県内移設に反対する県民会議」（共同代表・佐久川政一沖縄大学教授、中村文子1フィート運動の会事務局長）、結成（27日）

11　知事、普天間飛行場の代替施設として辺野古沿岸域移設表明（22日）

12　政府、「普天間飛行場の移設に係る政府方針」を閣議

	決定、代替施設を「キャンプ・シュワブ水域内名護市辺野古沿岸地域」とし、「軍民共用空港を念頭に整備を図る」とした（28日）
2000・2	官房長官、沖縄開発庁長官、沖縄県知事、北部12市町村長でつくる北部振興協議会と、官房長官、沖縄開発庁長官、沖縄県知事、名護市長、東村長、宜野座村長でつくる移設先及び周辺地域振興協議会、発足（10日）
7	九州・沖縄サミット開催（21〜23日）
8	沖縄政策協議会、「沖縄経済振興21世紀プラン」を最終報告（25日）。「経済振興と基地問題とのバランスある解決」を打ち出し、大田前知事の基地ゼロを前提にした「国際都市形成構想」からの離脱を目指すものと位置づけられた
11	那覇市長選で翁長雄志が当選（12日）。32年ぶりに保守が市政を奪還
11	琉球王国のグスク及び関連遺産群が世界遺産に登録（30日）

年・月	出来事
2001・1	中央省庁再編に伴い沖縄開発庁は内閣府沖縄振興局に（6日）
4	NHKの朝の連続テレビ小説「ちゅらさん」放映開始（2日〜9月29日）
9	米国で同時多発テロ（11日）
10	米軍基地警備のため、本土から機動隊来沖（8日）
2002・7	代替施設協議会が辺野古沖案の基本計画を決定（29日）
11	沖縄美ら海水族館・開館（1日）
11	県知事選で稲嶺知事が再選（17日）
2003・3	イラク戦争始まる（20日）
8	沖縄都市モノレール（ゆいレール）、那覇空港—首里間で開業（10日）
11	ラムズフェルド・米国防長官が沖縄訪問（16〜17日）
2004・8	普天間飛行場に隣接する沖縄国際大学構内に米海兵隊の大型輸送ヘリが墜落（13日）

年・月	事項
2005・10	日米安全保障協議委員会（2＋2）、「日米同盟―未来のための変革と再編」を発表（29日）。普天間飛行場の移転先を辺野古沖案からキャンプ・シュワブ沿岸案（L字型案）に転換する内容、沖縄県が要望してきた「軍民共用」、「15年使用制限」を完全無視。
10	稲嶺知事、キャンプ・シュワブ沿岸案の拒否を表明、従来の辺野古沖案でなければ県外移設を求めると主張（31日）
2006・3	「普天間基地の頭越し・沿岸案に反対する県民総決起大会」開く（5日）
4	額賀防衛庁長官、離陸用・着陸用の滑走路をV字型に設置する案を沖縄県を通さず名護市に提示（7日）
5	日米安全保障協議委員会（2＋2）、「再編実施のための日米のロードマップ」を発表、V字案を明記（1日）
5	稲嶺知事、V字案を容認できないとして、キャンプ・シュワブ陸上部に暫定ヘリポートを整備する案を提示（4日）
5	政府、「在日米軍の兵力構成見直し等に関する政府の取り組みについて」を閣議決定（30日）

11	沖縄県知事選、自公推薦の仲井眞弘多が当選（19日）
2007・3	文部省、08年度採用の高校歴史教科書の検定結果を公表、沖縄戦での「集団自決（強制集団死）」の削除、修正が明るみに（30日）
5	豊見城市議会が文部省の検定意見撤回を求める意見書を可決（14日）。以後6月28日までに県内全41市町村の議会で同様の可決が続く
6	沖縄県議会、「教科書検定に関する意見書」を可決（22日）。7月11日も同様の可決
7	東村高江の北部訓練場隣接区域でヘリパッド建設始まる（2日）
8	防衛省、キャンプ・シュワブ沿岸の海域についての環境影響評価方法書を沖縄県に送付（7日）
9	「教科書検定意見撤回を求める県民大会」、開催（29日）。過去最大の11万6000人が参加。沖縄戦についての歴史認識は県民が培ってきたアイデンティティの根幹で、基地問題に見られる保革の対立はなく「島ぐるみ」でまとまる。この県民大会は超党派で行われ、参加者の規模、「対米軍」ではなく初めての「対日本政府」の大会となった

2008・7 沖縄県議会、「名護市辺野古沿岸域への新基地建設に反対する意見書・決議」を賛成多数で採択（18日）

2009・4 防衛省、普天間飛行場代替施設建設のための環境影響評価準備書を沖縄県に提出（1日、2日から公告縦覧）

8 衆院選、民主党が第1党に（30日）

9 民主・社民・国民新党による鳩山由紀夫連立内閣発足（16日）

2010・1 名護市長選、「辺野古移設」容認派の現職を破って稲嶺進が当選（24日）

2 沖縄県議会、「米軍普天間飛行場の早期閉鎖・返還と県内移設に反対し、国外・県外への移設を求める意見書」を自公を含めた全会一致で可決（24日）

4 「米軍普天間飛行場の早期閉鎖・返還と県内移設に反対し、国外・県外への移設を求める県民大会」が超党派で開催、9万3700人が参加（25日）

5 鳩山首相、沖縄訪問し、「抑止力の観点」から沖縄に海兵隊は必要であるとして普天間飛行場の県内移設を表

年	月	出来事
		明、「最低でも県外」を撤回、謝罪（4日）
	5	日米共同発表、普天間飛行場のキャンプ・シュワブ沿岸へ移設を合意（28日）
	6	鳩山首相、辞任表明（2日）
	6	鳩山内閣、総辞職（4日）
	6	菅直人内閣発足、「日米合意に基づき辺野古移設の推進」姿勢を打ち出す（8日）
	8	興南高校、全国高校野球選手権大会を制覇（21日）。春の選抜高校野球も制しており、沖縄勢として初の「春夏連覇」の偉業達成
	9	尖閣諸島中国漁船衝突事件（7日）
	11	県知事選、仲井眞知事が再選（28日）
	12	石垣市、条例で1月14日を「尖閣諸島開拓の日」に制定（17日）
2011	3	東日本大震災（11日）
	4	最高裁、日本軍の「集団自決（強制集団死）」関与を認める（21日）
	6	米国防総省、12年後半に普天間飛行場にオスプレイ配備を正式発表（6日）

年月	事項
7	沖縄県議会、オスプレイの配備計画撤回を求める意見書と抗議決議の両案を全会一致で可決（14日）
8	教科用図書八重山採択地区協議会、12年度から4年間使う教科書について「新しい歴史教科書をつくる会」系の育鵬社版「公民」を県内で初認定（23日）
11	田中聡沖縄防衛局長が那覇市内で開かれた記者団との懇談会で普天間飛行場移設にかかわる環境影響評価書の提出時期について「犯す前に犯すと言いますか」と問題発言（29日）
2012・5	沖縄県、沖縄21世紀ビジョン基本計画（沖縄振興計画）を決定（15日）
9	オスプレイ配備に反対する沖縄県民大会が開催、10万3000人が参加（9日）
10	オスプレイ、普天間飛行場に配備（1日）
12	衆院選、自民党が第1党に返り咲き、政権交代に（16日）
12	第2次安倍晋三内閣、発足（26日）
2013・1	県民大会実行委員会共同代表がオスプレイ配備反対、普天間飛行場県外移設を記した「建白書」を安倍首相に手

渡す（28日）

2　日米首脳会談で普天間飛行場の早期移設が合意（22日）

3　新石垣空港、開港（7日）

4　政府主催で「主権回復・国際社会復帰を祈念する式典」を開催、沖縄では「4・28『屈辱の日』沖縄大会」が行われた（28日）

11　自民党沖縄県連、辺野古移設容認方針を決定（27日）

12　仲井眞知事、県外移設の公約をくつがえし、辺野古埋め立て申請を承認（27日）

2014・1　名護市長選で「辺野古埋め立て」反対派の稲嶺市長、再選（19日）

8　沖縄防衛局、辺野古沖埋め立て予定海域で海底ボーリング調査開始（18日）

9　沖縄県議会、「辺野古でのボーリング調査等の強行に抗議し、新基地建設工事の即時中止を求める意見書」を賛成多数で可決（3日）

11　沖縄県知事選、「オール沖縄」の翁長雄志が当選（16日）

12　衆院選、沖縄4選挙区すべてで「オール沖縄」候補が当選（14日）

年・月	出来事
2015・2	自衛隊配備の賛否を問う与那国町住民投票、賛成57・76%(22日)
5	「戦後70年止めよう辺野古新基地建設!沖縄県民大会」開催(17日)
6	作家の百田尚樹氏が自民党本部での勉強会で「琉球新報」と「沖縄タイムス」の沖縄2紙を「つぶさないといけない」と語る(25日)
8	米軍ヘリうるま市伊計島沖14キロの海上で、米海軍輸送船への着艦に失敗し、墜落(12日)
2016・4	うるま市の20歳女性が行方不明(28日)
5	女性の行方不明事件で、米軍属の男を重要参考人として事情聴取、供述に基づいて女性の遺体を発見、男を逮捕(19日)
6	事件に抗議する県民大会に、6万5000人が参加(19日)
10	東村高江の米軍北部訓練場周辺でヘリパッド建設に抗議する市民に対し大阪府警派遣の機動隊員が「土人」などと差別発言(18日)

	10	第6回世界のウチナーンチュ大会開催（26〜30日）。26カ国2地域から過去最多の7297人の海外参加者を記録
	12	名護市安部の海岸に普天間飛行場所属のオスプレイが墜落（13日）
	12	辺野古沿岸部の埋め立て承認を翁長知事が取り消したことを巡る「辺野古訴訟」、最高裁で沖縄県の敗訴確定（20日）
2017・	6	大田昌秀・元県知事、死去（12日）。7月26日、県民葬
	9	沖縄戦で「集団自決（強制集団死）」が起きた読谷村のチビチリガマが荒らされ、地元の少年4人が器物損壊容疑で逮捕。「肝試しでやった」と供述（15日）
	10	東村高江の牧草地に米軍の大型輸送ヘリが不時着、炎上し、機体が大破（11日）
	12	宜野湾市の緑ヶ丘保育園の屋根にプラスチック製の筒が落下、直前に米軍の大型輸送ヘリが飛行しており、捜査関係者は「米軍機から落ちた可能性が高い」とした（7日）
	12	宜野湾市の普天間第2小学校の運動場に普天間飛行場所属の米軍大型輸送ヘリから約90センチ四方で重さ約7・7キロ

の窓枠が落下（13日）

2018・2　名護市長選、新基地建設を進める政府与党が全面的に支援した渡具地武豊が当選（4日）

7　翁長知事、辺野古新基地建設阻止に向け県の最終カードといわれた「埋め立て承認撤回」に踏み切ることを表明（27日）

8　翁長知事、死去（8日）。10月9日、県民葬

8　沖縄県、辺野古沖の埋め立て承認を撤回（31日）

9　沖縄出身で「平成の歌姫」と称された安室奈美恵、引退（16日）

9　沖縄県知事選、翁長・前知事の路線を引き継ぐオール沖縄候補の玉城デニーが当選（30日）

12　沖縄防衛局、辺野古の海域に新基地建設のため埋め立て土砂を投入（14日）。私人の利益を救済する行政不服審査法を根拠に国土交通相に県の承認撤回の執行停止を申し立てて認められたため

2019・2　名護市辺野古の埋め立ての賛否を問う県民投票実施（24日）。投票総数60万5385票のうち7割を超える

43万4273票が「反対」の民意を示す

7　コンビニ国内最大手のセブン-イレブンが全国で唯一店舗のなかった沖縄に初出店（11日）

10　沖縄都市モノレール（ゆいレール）、浦添延長区間の営業開始（1日）

10　首里城が焼失（31日）

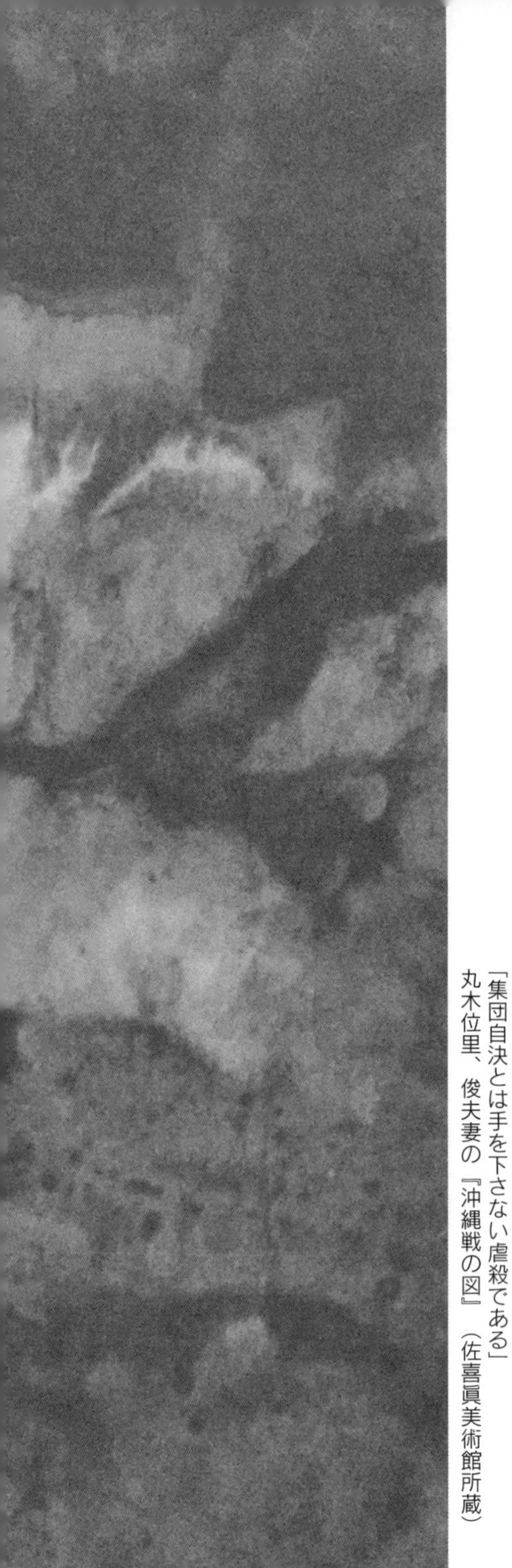

「集団自決とは手を下さない虐殺である」
丸木位里、俊夫妻の『沖縄戦の図』（佐喜眞美術館所蔵）

沖縄戦の図

辱かしめを受ける前に死ね
手りゅうだんを下さい
鎌で鍬で
カミソリでやれ
親は子を
夫は妻を
若ものはとしよりを
エメラルドの海は紅に
集団自決とは
手を下さない虐殺である

位里
俊

藤原　健（ふじわら　けん）

1950年、岡山県生まれ。早稲田大学政治経済学部政治学科卒。毎日新聞入社。大阪本社社会部長、同編集局長などを歴任。2006年、「戦後60年報道」で「平和・協同ジャーナリスト基金大賞」を代表受賞。スポーツニッポン（スポニチ）新聞社常務取締役を経て18年、沖縄大学大学院現代沖縄研究科修士課程修了。単著『魂（マブイ）の新聞』（琉球新報社）の出版で19年、同大学院の「現代沖縄研究奨励賞」受賞。現在、琉球新報客員編集委員、沖縄大学地域研究所特別研究員。

共著書に『沖縄　戦争マラリア事件』（東方出版）、『介助犬シンシア』（毎日新聞社）、『対人地雷　カンボジア』（同）、『カンボジア　子どもたちとつくる未来』（同）、作家・高村薫さんとの対談集『作家と新聞記者の対話』（同）など。

終わりなき〈いくさ〉
～沖縄戦を心に刻む

2020年6月23日　初版第1刷発行

著　者　藤原　健
発行者　玻名城　泰山
発行所　琉球新報社
〒900-8525
沖縄県那覇市泉崎1-10-3
問合せ　琉球新報社読者事業局出版部
電話（098）865-5100
発　売　琉球プロジェクト
制作・印刷　新星出版株式会社

ISBN978-4-89742-260-2 C0095
定価はカバーに表示してあります。